CARCEREIROS

Obras do autor
publicadas pela Companhia das Letras

Borboletas da alma
Carcereiros
De braços para o alto
Estação Carandiru
O médico doente
Nas ruas do Brás
Por um fio
Primeiros socorros
A teoria das janelas quebradas

DRAUZIO VARELLA

Carcereiros

1ª reimpressão

COMPANHIA DAS LETRAS

Copyright © 2012 by Drauzio Varella

Grafia atualizada segundo o Acordo Ortográfico da Língua Portuguesa de 1990, que entrou em vigor no Brasil em 2009.

Capa
Retina78

Imagem de capa
Casa de Detenção do Carandiru, Pavilhão 5, 22 de maio de 1974.
© Alfredo Rizzutti/ Agência Estado
Todos os esforços foram realizados para identificar o fotografado. Como isso não foi possível, teremos prazer em creditá-lo, caso se manifeste.

Preparação
Márcia Copola

Revisão
Ana Maria Barbosa
Viviane T. Mendes

Dados Internacionais de Catalogação na Publicação (CIP)
(Câmara Brasileira do Livro, SP, Brasil)

Varella, Drauzio
  Carcereiros / Drauzio Varella. — 1ª ed. — São Paulo : Companhia das Letras, 2012.

  ISBN 978-85-359-2169-4

  1. Memórias autobiográficas 2. Penitenciária do Estado (São Paulo) I. Título.

12-10535   CDD-610.92

Índice para catálogo sistemático:
1. Médicos : Memórias 610.92

[2012]
Todos os direitos desta edição reservados à
EDITORA SCHWARCZ S.A.
Rua Bandeira Paulista, 702, cj. 32
04532-002 — São Paulo — SP
Telefone (11) 3707-3500
Fax (11) 3707-3501
www.companhiadasletras.com.br
www.blogdacompanhia.com.br

Sumário

Um dia trágico, 7
Carcereiros, 13
José Araújo, 24
Questão de princípios, 29
Carcereiros do passado, 36
Os delatores, 40
A batalha do conhaque, 45
Hulk, 50
Bem Nutrido, 61
Zé Montanha, 69
Irani Moreira, 73
A negociação, 78
A faca afiada, 83
O submundo, 86
O Empreiteiro de Cristo, 90
Luiz Wolfmann, o Luizão, 93
Solidariedade, 99

A mulher, 105
Shirley, o estelionatário e seu Silva, 110
A cachaça, 115
Sombra, 120
O inferno de Joyce, 127
A tortura, 136
Violência contagiosa, 145
Na sala de Revista, 148
Valdemar Gonçalves, 153
Guilherme Rodrigues, 161
Negociador nato, 169
Dinheiro falso, 172
O palco do Chiquinho, 178
O túnel, 185
A implosão, 193
Fábricas de ladrões, 198
Fuga sangrenta, 202
Amauri Bonilha, 215
A festa, 219

Um dia trágico

Seu Araújo tem o andar, o ritmo da fala e a sabedoria de negro velho dos terreiros de candomblé. Somos amigos há mais de vinte anos, mas ainda fico em dúvida se o ar simplório lhe é natural ou se ele o cultiva com requinte profissional para esconder a sagacidade com que observa o ambiente e o interlocutor.

Às sete da manhã do dia 2 de outubro de 1992, olhou as plantas no corredor, regou dois vasos de avenca e saiu de casa, como de rotina. Pegou o metrô na estação Tatuapé, desceu na Sé e fez a conexão para Santana. Dez para as oito entrava para ocupar o posto de chefe titular substituto do pavilhão Oito da Casa de Detenção, conhecida popularmente como Carandiru.

Quando seu Araújo passou pela Portaria, um colega baixo e entroncado, com a barba por fazer, tomou o cuidado de avisá-lo:

— Está havendo um probleminha no pavilhão Nove. Fica esperto.

Como no pavilhão Oito a situação era de normalidade, no meio da manhã, acompanhado de três colegas, ele atravessou o portão que separava os dois pavilhões, para ajudar os companheiros de plantão no Nove a solucionar o tal probleminha. O clima estava tão carregado que lhe veio um presságio:

— Ou muito me engano ou a cadeia vai virar.

De fato, virou. No começo da tarde os presos tomaram o pavilhão Nove, depredaram as dependências da Administração e levantaram barricadas atrás da porta de entrada. Por sorte, os funcionários de plantão conseguiram escapar, o que nem sempre é possível nessas eventualidades.

Estava armado o cenário para a maior tragédia coletiva da história dos presídios brasileiros: o massacre do pavilhão Nove.

No Oito, seu Araújo chamou os doze funcionários desarmados que se achavam de serviço para vigiar 1756 condenados reincidentes, naquela hora do dia espalhados pelo pátio interno e pelo campo de futebol, situado entre o prédio do pavilhão e as muralhas.

Uma vez que o Oito era vizinho de parede do Nove, na parte do fundo da cadeia, dele separado apenas por um muro e um pequeno portão de ferro maciço, o grupo concluiu que seria mais prudente recolher os homens do campo para melhor controlá-los, porque, se os reincidentes aderissem, a rebelião se espalharia pelo presídio inteiro, como já havia acontecido em outra ocasião.

A empreitada, no entanto, não era trivial:

— Porque numa situação dessas o sentenciado fica cheio de medo de perder a vida. E nós, funcionários, também.

Sem aparentar pressa, foram explicando às rodinhas formadas no campo que eles nada tinham a ver com os problemas alheios, que seria mais sensato irem para o pátio interno do pavilhão porque o pelotão do Choque já estava no presídio e os PMs poderiam vir para cima deles, atrás dos desafetos que lhes causavam tantos dissabores nas ruas, como era hábito sempre que invadiam a Detenção. Era melhor não oferecer pretexto a eles.

Com dificuldade, por volta das duas da tarde conseguiram reunir todos no pátio interno. Quando começou o fogo nos colchões e nos móveis do Nove, seu Araújo chamou os funcionários mais experientes na salinha da chefia do pavilhão:

— Eram Osmar, Osvaldo, Silvão, Jeremias e eu. Não adiantava chamar os demais, porque eram novatos no trabalho. Ficamos apreensivos e resolvemos pedir encarecidamente aos sentenciados que subissem para as galerias, de modo que a gente pudesse trancar a gaiola de entrada do térreo.

Osmar era na verdade o chefe titular do Oito, substituído por Araújo durante as férias que só terminariam na segunda-feira seguinte. Naquela sexta, seu último dia de folga, resolveu dar um pulo no pavilhão para inteirar-se do que havia acontecido em sua ausência:

— Era meu sistema: na véspera de acabar as férias, dava uma passada na cadeia para não chegar perdido no primeiro dia. Em três ou quatro semanas corre muita água embaixo da ponte.

Com os argumentos de que a situação no pavilhão vizinho se deteriorava e que serviriam de alvo fácil para os tiros dos PMs na muralha caso permanecessem expostos no pátio, foi possível convencê-los a subir para os andares do Oito.

Soltos nos andares, os presos tomaram a providência característica dos momentos de crise: desentocaram as facas. Nessas oportunidades costumam armar-se, menos para agredir os policiais que invadem a cadeia com cães e metralhadoras — a luta seria desigual — do que para fazer frente a eventuais ataques desfechados por inimigos internos que porventura se aproveitem da confusão.

Os cinco funcionários fizeram nova reunião na salinha. Osmar teve a ideia:

— Araújo, é o seguinte: você, eu, o Osvaldo e o Silvão subimos para os andares. O Jeremias monta guarda no portão que dá para o Nove; os outros ficam aqui na sala da chefia, porque eles têm pouco conhecimento com a malandragem. Vamos tentar trancar todo mundo: é a única saída. Se a polícia entrar, vai morrer muita gente, inclusive nós. No tropel, eles não vão perguntar quem é quem.

A intenção era manter cada homem em sua cela para não desafiar os militares. Que justificativa haveria para invadir um pavilhão em paz?

A estratégia fazia sentido, mas como convencer, um por um, quase 2 mil presidiários assustados que formavam grupos nervosos pelas galerias?

Não se sabe de quem veio a proposição mais razoável: trancar os presos mas deixar o molho de chaves com os líderes da Faxina que ocupavam um dos xadrezes logo na entrada de cada andar, para que destrancassem os demais se assim decidissem. De hora em hora, um dos funcionários passaria pelas galerias para colocar todos a par dos acontecimentos.

Seu Araújo subiu para o quinto andar, o mais problemático da cadeia inteira. Quando chegou na gaiola de entrada, os homens estavam encapuzados e ameaçadores, com as facas na mão.

— Eram mais de cem facas, uma mais brilhante que a outra. Eu pensei: ô meu Deus, me ajude nessa situação, e entrei para dentro da gaiola: "Vamos conversar, gente boa. Vamos trocar uma ideia. É melhor trancar todo mundo para evitar que o Choque caia para dentro".

Os presos discordaram; um deles gritou mais alto:

— Pessoal, não vamos entrar nessa. Vão trancar nós e abandonar o pavilhão nas mãos do Choque. Vamos morrer feito frango empoleirado no galinheiro.

Naquele estado de ânimo, todos falavam ao mesmo tempo. Rodeado pelas facas, algumas das quais perigosamente próximas, seu Araújo insistia que podiam confiar, ele e os colegas já tinham passado o cadeado no portão de acesso ao Nove, e ali montariam guarda permanente, decididos a barrar a entrada da pm.

Não havia líderes com quem negociar; o vozerio era ensurdecedor. Os argumentos pareciam não demover os homens do intento de permanecer soltos nas galerias, para intimidar os militares e eventualmente resistir a eles. Se tivessem que morrer, seria lutando, vociferavam os mais exibidos. Com os olhos esbugalhados pela cocaína, alguns ameaçavam matar seu Araújo se insistisse em trancá-los; chegavam a encostar as facas em seu peito.

Cercado pelas armas naquele tumulto de homens mascarados, o carcereiro sentiu que tudo podia acontecer, bastava que o mais afoito desfechasse o primeiro golpe. Pela primeira vez na carreira, achou que podia acabar numa poça de sangue na galeria.

Inesperadamente, Cidão, um bandido de longa folha corrida muito respeitado pelos pares, que fazia consertos nas instalações elétricas do pavilhão, subiu numa cadeira:

— Vamos fazer o que ele acha melhor, tem chance de dar certo. Estou aqui há muitos anos e nunca vi esse homem faltar com a palavra.

O mais agressivo do grupo contrário à medida ameaçou:

— Se acorrer do senhor trancar nós e abandonar o pavilhão, nenhum dos funça de plantão no dia de hoje vai viver na rua.

Enquanto os últimos recalcitrantes entravam, seu Araújo começou a trancar as portas com o molho de chaves. Quando a tarefa ia pela metade, Silvão chegou para ajudá-lo. Ele, Osmar e Osvaldo já tinham conseguido fechar as celas dos andares inferiores. Jeremias vigiava o portão com o cadeado.

Mal haviam terminado o trabalho, ouviram-se os primeiros tiros no pavilhão vizinho. A noite começava a cair. Osmar ficou surpreso:

— Invadir o Nove no escuro! Os cara perderam a cabeça, mano.

Os funcionários honraram a palavra: a cada hora um deles subia para avisar de cela em cela que, apesar do tiroteio ao lado, estava tudo em calma no Oito, mas que não ousassem espiar pelas janelas para não correr o risco de levar um tiro na cabeça. Em rodízio, um deles permanecia de prontidão o tempo todo no portão que os separava do Nove, providência que se mostrou de grande valia, porque diversas vezes os pms foram convencidos a não entrar, sob a alegação inquestionável de que não havia razão para invadir um pavilhão em paz.

Por volta das oito da noite, as balas silenciaram. Duas horas mais tarde, caiu uma chuva torrencial. Quando deu meia-noite, Osmar e ele decidiram ir à rua:

— Era uma confusão de pm entrando e saindo com gente ferida; dezenas de corpos a caminho do necrotério. Falei para o Osmar: "Já imaginou se tivessem entrado no Oito?".

Estavam em jejum, mas não tinham fome nem sono:

— Fomos até o bar do China e tomamos duas cachaças cada um, para clarear a mente.

Com a mente clareada, reassumiram seus postos até a manhã seguinte. Era dia de eleição, foram votar e retornaram para ajudar os companheiros no rescaldo da tragédia. Seu Araújo nunca mais esqueceu o que viu:

— Vi sangue ser puxado com rodo na galeria.

Carcereiros

Desde pequeno sou fascinado por cadeias. Descobri essa atração nos programas de rádio e nos filmes em branco e preto a que tive ocasião de assistir nas matinês de domingo nos cinemas do Brás, antigo bairro operário de São Paulo.

Os filmes de cadeia provocaram em mim emoções tão fortes, que até hoje me lembro deles. Quando tinha dez anos, assisti a *Brute Force*, filmado numa velha prisão em que Burt Lancaster chefiava um plano de fuga frustrado pela delação de um companheiro. Quarenta anos mais tarde voltei a vê-lo em vídeo: as cenas me eram de tal forma familiares, que eu era capaz de me antecipar às falas dos personagens.

O Brás era cinzento, com ruas de paralelepípedos, cortiços abarrotados de crianças, chaminés de fábricas, sirenes e operários com marmitas a caminho do trabalho. Italianos, espanhóis e portugueses fugidos da fome e das guerras na Europa formavam a paisagem humana que sentava em cadeiras na calçada, nas noites de verão, para falar da vida nas aldeias onde haviam nascido e dos acontecimentos da Segunda Guerra Mundial.

Naquele tempo sem televisão, quem conseguia comprar um rádio fazia a gentileza de dividi-lo com a vizinhança. De manhã, nas casas coletivas, o aparelho era colocado na janela da proprietária para que as demais mulheres acompanhassem as vozes melosas das novelas da Rádio São Paulo, enquanto lavavam roupa no tanque, varriam, enceravam e passavam o escovão no quarto em que a família morava.

Quarta-feira à noite, meu tio Constantino juntava os amigos na cozinha para ouvir *O Crime Não Compensa*, programa da Rádio Record que dramatizava as peripécias dos criminosos mais temidos da cidade.

De calça curta, eu ouvia com a respiração presa as aventuras de Sete Dedos, Amleto Meneghetti, Dioguinho, Boca de Traíra, Massacre, Pereira Lima, Jorginho e Promessinha, invariavelmente mandados para detrás das grades pela diligente polícia paulistana, para provar que de fato a vida no crime não valia a pena.

A licenciosidade do tio que me permitia aquela intromissão no mundo adulto fazia de mim o centro das atenções da molecada no dia seguinte. Eu relatava as histórias nos mínimos detalhes, auscultando as reações da plateia à descrição das fugas espetaculares do italiano Meneghetti feito gato pelos telhados, da destreza de Sete Dedos ao invadir casas alheias de madrugada sem acordar a família e da perversidade atribuída a Massacre, que perguntava se a vítima preferia tiro ou beliscão, dado com um alicate no umbigo dos que optavam pela segunda alternativa.

Em minha adolescência, no fim dos anos 1950, surgiu no submundo a figura do bandido-malandro, mistura de ladrão, boêmio, contrabandista, traficante de maconha e anfetamina, explorador do lenocínio e das casas de jogo. Eram marginais como Hiroito, o rei da Boca do Lixo, Nelsinho da 45, Marinheiro, Brandãozinho e Quinzinho, célebre contador de casos, que concentravam suas atividades ilícitas nas imediações das ruas Vitória, Santa Ifigênia, dos Gusmões, dos Andradas e Protestantes.

Em 1989, a gravação de um vídeo sobre aids me levou à Casa de Detenção de São Paulo, o antigo Carandiru. Ao entrar no presídio, fui tomado por uma excitação infantil tão perturbadora que voltei duas semanas mais tarde para falar com o diretor. Nessa conversa acertamos que eu iniciaria um trabalho voluntário de atendimento médico e palestras educativas, tarefa que me permitiu penetrar fundo na vida do maior presídio da América Latina, experiência descrita no livro *Estação Carandiru*, adaptado para o cinema por Hector Babenco.

Fui médico voluntário na Detenção durante treze anos, até a implosão no final de 2002. No começo, encontrei muita dificuldade no relacionamento com os funcionários; não porque me tratassem mal, pelo contrário, eram gentis e atenciosos, mas desconfiados. Quando me aproximava, mudavam de assunto, trocavam olhares enigmáticos e frases ininteligíveis ou desfaziam a rodinha; nas mínimas atitudes demonstravam estar diante de um corpo estranho. Várias vezes me perguntaram se eu fazia parte de uma ONG, da Pastoral Carcerária, de alguma associação de defesa dos direitos humanos, ou se pretendia me candidatar a deputado.

A desconfiança tinha razões: alienígenas criam problemas nas cadeias, microambientes sociais regidos por um código de leis de tradição oral, complexo a ponto de prever todos os acontecimentos imagináveis sem necessidade de haver uma linha sequer por escrito. O novato é antes de tudo um ingênuo nesse universo em que a interpretação acurada dos fatos exige o olhar cauteloso de homens calejados.

Com o passar dos anos, fiz amigos entre eles, alguns dos quais se tornaram íntimos. Duas razões contribuíram para que me aceitassem como personagem do meio, ou "do Sistema", como costumam referir-se aos funcionários do Sistema Penitenciário.

A primeira foi o exercício da medicina. Homens como eles ganham mal e dependem da assistência dos hospitais públicos.

Perdi a conta de quantas consultas, de quantos conselhos sobre a saúde de familiares me foram pedidos e do número de internações e tratamentos que tentei conseguir — muitas vezes em vão.

A segunda foi por iniciativas menos nobres. A natureza do trabalho dos guardas de presídio pouco os diferencia da condição do prisioneiro, exceto o fato de que saem em liberdade no fim do dia, ocasião em que o bar é lenitivo irresistível para as agruras do expediente diário.

No início dos anos 1990, ao terminar o atendimento médico num entardecer de calor amazônico, convidei Valdemar Gonçalves, funcionário que comandava o Departamento de Esportes da Casa, para uma cerveja gelada no Alcatraz, um botequim da avenida Cruzeiro do Sul, em frente à Detenção. Foi a primeira de uma rotina de reuniões com um número crescente de participantes, na saída do trabalho.

Em 2002, nos dias que precederam a implosão, pressenti que aquelas reuniões festivas chegariam ao fim. A Secretaria da Administração Penitenciária, na época comandada pelo dr. Nagashi Furukawa, considerava a Casa de Detenção uma excrescência que denegria a imagem dos presídios paulistas e a política penitenciária do governo estadual, que dava prioridade à construção de Centros de Detenção Provisória (CDPs) e de cadeias menores, espalhadas pelos quatro cantos da cidade e do estado. Os funcionários que haviam controlado mais de 7 mil detentos durante tantos anos, nas piores condições de trabalho que alguém possa imaginar, tornaram-se personae non gratae, quase sinônimos de marginais corruptos e torturadores que precisavam ser banidos do Sistema Penitenciário.

Tomado por esse pressentimento, num dos últimos encontros antes da implosão firmamos o compromisso de que continuaríamos a nos reunir numa mesa de bar a cada duas ou três semanas, não importava o que acontecesse. Foi uma decisão sábia porque a Secretaria, impossibilitada legalmente de demiti-los, decidiu distribuí-los pelas cadeias de São Paulo. Funcionários com muitos anos de experiência, capazes de manter a paz em pavilhões com mais de mil reincidentes, sufocar rebeliões com as mãos desarmadas e enfrentar a bandidagem mais indócil apenas com o poder persuasivo da palavra, foram estigmatizados e afastados do contato com os presos, escalados para postos subalternos sob o comando de colegas despreparados nos Centros de Detenção Provisória ou em funções burocráticas atrás de escrivaninhas emperradas.

Demolida a Detenção, a convite do funcionário Guilherme Rodrigues passei a atender na Penitenciária do Estado, prédio construído pelo arquiteto Ramos de Azevedo nos anos 1920, hoje tombado pelo Patrimônio Histórico. Escolhi a Penitenciária por ser acessível de metrô, por ter mais de 3 mil presos e por ser dirigida pelo dr. Maurício Guarnieri, com quem eu tinha trabalhado na Detenção.

Situada na parte de trás do Complexo do Carandiru, na avenida Ataliba Leonel, a Penitenciária do Estado um dia foi orgulho dos paulistas. Nas décadas de 1920 a 1940 não havia visitante ilustre na cidade que não fosse levado para conhecer as dependências do presídio considerado modelo internacional, não só pelas linhas arquitetônicas, mas pela filosofia de "regeneração" dos sentenciados baseada no binômio silêncio e trabalho. O prédio tem três pavilhões de quatro andares unidos por uma galeria central que os divide em duas alas de celas: as pares e as ímpares, cada uma das quais termina numa oficina de trabalho; no fundo, um cinema grande, um campo de futebol e áreas para o cultivo de hortaliças.

Quando cheguei, o clima era de franca decadência: paredes infiltradas de umidade, fiação elétrica exteriorizada repleta de gambiarras, grades enferrujadas, o velho cinema em ruínas, nem resquício das hortas, e o campo de futebol desativado para evitar resgates aéreos. Projetadas para ocupação individual, as celas abrigavam dois homens cada uma, situação ainda assim incomparavelmente mais confortável que a dos xadrezes coletivos do Carandiru e dos Centros de Detenção Provisória.

Os funcionários mais antigos lamentavam a deterioração. Como disse Guilherme Rodrigues, ex-diretor-geral da Penitenciária, no início dos anos 2000:

— No passado, isso aqui era um brinco, tudo limpinho, organizado. Dava gosto trabalhar. Nós entrávamos para o trabalho diário em formação militar, o de trás marchava com a mão no ombro do companheiro da frente, como se estivéssemos no exército.

Três anos mais tarde, a Penitenciária começou a ser desativada. O número de mulheres presas no estado aumentava a ponto de as autoridades decidirem transformá-la em prisão feminina. Quando se iniciaram as transferências dos homens, resolvi sair; já tinha assistido a esse filme na Detenção: galerias vazias, vozes que ecoam, presos melancólicos, funcionários desmotivados cumprindo horário no ritmo dos dias que se arrastam, noites sepulcrais. Não pode existir ambiente mais lúgubre.

Depois da Penitenciária, fui atender no Centro de Detenção Provisória da Vila Independência, no caminho de São Caetano, para onde haviam transferido o funcionário Valdemar Gonçalves, meu braço direito no trabalho com os presos desde a época da Detenção.

Os tempos eram outros, e os costumes estavam mudados. No dia em que cheguei, quis entrar no terceiro raio, localizado no fundo da cadeia, para conhecer a situação das celas e conversar com seus ocupantes. Escolhi o raio do fundo porque, em qualquer presídio, as celas mais distantes da Administração são as que vivem as piores condições de salubridade e albergam os bandidos mais perigosos. É mais ou menos como nas salas de aula, nas quais os alunos mais bagunceiros procuram sentar longe do professor.

O funcionário da galeria de acesso ao raio pediu desculpas, mas avisou que não me deixaria entrar sem a companhia do diretor de Disciplina. Não adiantou explicar que estava habituado a circular entre os presos, que frequentava cadeias havia mais de quinze anos, que era conhecido pela malandragem e que nada me aconteceria: ordens eram ordens.

Quando o diretor chegou e as duas portas que formam a gaiola de entrada do raio foram abertas, um preso franzino, com um defeito na perna, berrou a plenos pulmões junto à grade: "Polícia na cadeia", grito repetido várias vezes por vozes que vinham do interior das celas.

O raio era formado por xadrezes coletivos dispostos de ambos os lados, separados por uma miniquadra de futebol de salão cujos limites laterais chegavam às grades das celas. Em cada xadrez projetado para oito apertavam-se quinze, vinte ou mais homens, situação que obrigava os recém-chegados a passar semanas dormindo no chão — "na praia", em linguagem local. Mil vezes cumprir pena na velha Detenção, com campos de futebol e áreas livres por onde andar o dia inteiro, do que passar a vida sem ter o que fazer, espremido entre as paredes de concreto dos Centros de Detenção Provisória construídos para substituí-la.

Como em outras prisões dominadas pela facção que tomou conta dos presídios paulistas a partir dos anos 1990, no CDP Vila Independência os carcereiros só entravam nos raios para fechar as celas no fim da tarde e abri-las às oito da manhã. No resto do tempo, da gaiola de entrada para dentro o comando ficava por conta dos líderes de cada raio: o "piloto" e seus auxiliares. Funcionário pelas galerias conversando com os detentos, como no Carandiru ou na Penitenciária, nem pensar; costume do passado. Para falar com algum carcereiro e até para ir ao médico, o preso precisava de ordem explícita do piloto, sem a qual qualquer contato seria considerado ato suspeito, passível de punição exemplar de acordo com as leis do crime.

Na saída, encontrei um funcionário que trabalhou anos na Detenção. Quando perguntei o que fazia no CDP, respondeu:

— Tranco e destranco o portão de entrada.

— Um homem com a sua experiência na função de principiante.

— É assim que a música toca, doutor.

Fiquei menos de um ano no atendimento dos presos do CDP. Desisti porque implicavam com o trabalho do Valdemar a meu lado, com o argumento de que ele não fazia parte do Departamento de Saúde.

Durante esse período, permanecemos fiéis à promessa feita antes da implosão: a cada duas ou três semanas nós nos juntávamos para tomar cerveja, contar histórias de cadeia e dar risada. Dependendo dos compromissos de cada um, variava de cinco a quinze o número de participantes nos encontros do grupo, autobatizado de Conselho dos Cachaceiros, por analogia com o Conselho Penitenciário formado por autoridades do Sistema.

Pela primeira vez depois de dezesseis anos, passei oito meses longe dos presídios, período em que meus dias pareciam incompletos, impressão aliviada apenas pelas reuniões do Conselho nos bares e restaurantes da periferia. Cheguei a pensar que nunca mais voltaria, que não haveria mais espaço para realizar o trabalho que estava acostumado a fazer. Talvez devesse me conformar — da mesma forma que os homens, as cadeias se transformam com o passar do tempo.

Não fiquei infeliz nem me senti fracassado; as atividades de oncologista com clínica movimentada, as viagens ao rio Negro como parte de um projeto de pesquisas, as colunas que escrevo em jornais e revistas e o trabalho de educação em saúde pela TV já ocupavam todo o tempo disponível; o problema era que a falta de contato com o ambiente marginal deixava a vida mais pobre. Estava tão envolvido com aquele universo, que abrir mão dele significava admitir passar o resto da existência no convívio exclusivo com pessoas da mesma classe social e com valores semelhantes aos meus, sem a oportunidade de me deparar com o contraditório, com o avesso da vida que levo, com a face mais indigna da desigualdade social, sem ouvir histórias que não passariam pela cabeça do ficcionista mais criativo, sem conhecer a ralé desprezível que a sociedade finge não existir, a escória humana que compõe a legião de perdedores que um dia imaginou realizar seus anseios pela via do crime, e acabou enjaulada num presídio brasileiro.

Uma crise inesperada mudou o rumo dos acontecimentos. Em 2006, houve uma sucessão de rebeliões que destruíram diversas cadeias de São Paulo. Mal os rebelados eram transferidos para locais mais seguros, estourava novo motim em outro ponto, criando dificuldades logísticas para acomodar tanta gente em prisões já superlotadas e causando prejuízos financeiros para o Estado. Era evidente que se tratava de um plano orquestrado por um comando central empenhado em desafiar as autoridades e amedrontar a sociedade.

Finalmente, em maio de 2006, grupos armados incendiaram ônibus, assassinaram policiais e carcereiros e disseminaram o pânico pela cidade. A ação planejada no interior dos presídios de segurança máxima atingiu o objetivo: no fim da tarde, a população assustada largou tudo, correu para casa, e São Paulo experimentou um dos maiores congestionamentos da sua história. Quando escureceu naquela segunda-feira, andei pelas ruas do centro sem encontrar vivalma.

A reação foi imediata: a polícia saiu à caça dos responsáveis pelo tumulto. No balanço final, muitas mortes. Num presídio destruído na cidade de Araraquara, em vez da habitual transferência dos amotinados, as portas foram soldadas a maçarico e os homens recolhidos numa pequena área aberta que tinha sobrevivido à fúria incendiária da rebelião. Sem espaço disponível para deitar ao mesmo tempo, dormiam em turnos, recebiam alimentos içados por uma roldana instalada na muralha e faziam as necessidades fisiológicas em sacos plásticos. Passaram três meses ao relento, no inverno, enquanto aguardavam a reconstrução.

Uma das providências tomadas pelo governo foi substituir o secretário de Assuntos Penitenciários pelo dr. Ferreira Pinto, um promotor da Justiça Militar determinado, organizador da reação em Araraquara, que adotou rapidamente as medidas necessárias para recuperar o controle das prisões. Entre elas, nomeou como secretário adjunto o dr. Lourival Gomes, homem com muitos anos de serviços prestados ao Sistema, respeitadíssimo pelos colegas, que eu conhecia desde o Carandiru. Na reorganização que se seguiu, a nova administração convocou para assumir as posições estratégicas o pessoal mais experiente que se achava espalhado pelo estado. Vários desses funcionários tinham trabalhado na antiga Detenção, e alguns deles eram frequentadores assíduos de nossas reuniões conciliares.

Não foi preciso insistir para me convencer a retornar. Pedi apenas que escolhessem o presídio com a assistência médica mais precária, que não fosse muito distante, e que o Valdemar, havia tantos anos meu companheiro de trabalho, pudesse ir comigo.

Dias mais tarde fui chamado. Explicaram que a Penitenciária Feminina da Capital, agora instalada no prédio construído por Ramos de Azevedo em que eu trabalhara depois da implosão do Carandiru, era administrada por uma ONG que estava de saída e levaria com ela os médicos que prestavam atendimento no local.

A princípio estranhei. Quando perguntaram se havia algum problema, respondi sem pesar as palavras:

— É que não tenho experiência com mulheres.

Distração fatal num ambiente desses. Há seis anos vendo doentes na Penitenciária Feminina, ainda hoje aparece algum engraçadinho para perguntar se já me desabituei dos homens.

Em 2012 completei 23 anos de atendimento médico voluntário em presídios. No conjunto, recebi muito mais do que poderia valer o tempo dedicado a esse trabalho. A experiência ganha no convívio com mulheres e homens aprisionados, com suas histórias de vida, com a realidade social brasileira e com o modo de viver e pensar dos carcereiros modificou de forma radical minha maneira de enxergar o país em que vivo e de entender as vicissitudes da condição humana.

Em *Estação Carandiru* descrevi a vida na cadeia com o olhar do médico que atende homens obrigados a cumprir penas em gaiolas apinhadas, como se participassem de um experimento macabro. Neste livro, escrito treze anos mais tarde, tentarei fazê-lo da perspectiva dos homens que passam a vida a vigiar prisioneiros.

As histórias de heroísmo, os atos de generosidade, a corrupção, a covardia, a prática da tortura, o desapego à própria vida em benefício de outros, as maldades e os exemplos de dedicação ao serviço público que se seguem foram observados por mim ou contados pelos próprios carcereiros com quem tenho convivido.

Por razões éticas e pela necessidade de proteger a identidade daqueles que ainda são funcionários públicos, nem sempre os acontecimentos descritos serão atribuídos ao personagem que os narrou.

José Araújo

Seu Araújo nasceu e mora até hoje no Tatuapé, bairro de elite, como costuma dizer.

Convencido de que ele era o mais ajuizado dos sete filhos, o pai, pouco antes de morrer, chamou-o para pedir-lhe que não deixasse vender o único bem da família: a casa onde viviam, adquirida numa época em que o Tatuapé era considerado periferia da cidade.

O filho fez a vontade paterna, e cada irmão pôde construir sua casinha no terreno. A dele fica na parte alta, acessível por um corredor congestionado por samambaias, avencas, bromélias e begônias coloridas, entre outras plantas visivelmente cuidadas por mãos carinhosas. O corredor termina num lance de degraus altos que conduz a uma varandinha espremida, com uma churrasqueira no fundo, e à entrada da área íntima, à esquerda. A cozinha minúscula é conjugada à sala, um cômodo estreito com uma cristaleira e um sofá de dois lugares em frente à TV, quase uma passagem para o quarto de dormir, com a cama, a cômoda e o guarda-roupa de casal.

Entre familiares e colegas funcionários, seu Araújo chega a reunir nesse espaço angustiado mais de cinquenta pessoas para comemorar a noite de são Pedro, todo mês de junho. Uma das vezes em que não pude comparecer à festividade, encontrei-o na segunda-feira no pátio de entrada da cadeia, conhecido como Divineia. Pedi desculpas pela ausência e perguntei se tinha ficado feliz com a comemoração. Respondeu que sim e acrescentou:

— Sabendo levar, a vida é uma festa maravilhosa.

Outra vez, quis saber qual a razão para o tumulto formado na frente da sala de Revista, local em que os funcionários eram obrigados a passar antes de entrar para o trabalho. Com ar resignado, ele explicou que um rapaz recém-contratado havia sido surpreendido com cem gramas de cocaína.

O infrator não tinha mais de 25 anos. Estava cor de cera no meio dos colegas que lhe dirigiam impropérios. Fiquei até com pena:

— Que merda, o menino chega aqui como funcionário público e acaba na delegacia enquadrado como traficante.

Ele acrescentou como se pensasse em voz alta:

— O problema é que essa juventude quer tudo de uma vez. Ainda não aprendeu que a felicidade exige paciência.

Aos doze anos de idade, comprou em prestações uma máquina de raspar taco usada e começou a trabalhar por conta própria. Mais de trinta anos atrás, já casado e pai de cinco filhos, fez um curso de jardinagem e paisagismo para melhorar de vida. Com o diploma arranjou emprego nas instalações do Senai, na avenida Paulista.

O ano de 1978, em que completou 35 anos, foi o mais infeliz de quantos viveu: dois de seus meninos mais novos morreram de pneumonia quase ao mesmo tempo; um tinha seis anos e o outro três. Menos de um mês mais tarde, o filho mais velho, que acabara de completar doze anos, estava brincando com uma bola de basquete no quintal, quando caiu desacordado. A mãe correu com ele para o hospital. De madrugada, o garoto faleceu.

O neurologista disse que provavelmente se tratava de hemorragia cerebral, diagnóstico que só a autópsia poderia confirmar. Inconformado, o pai pediu que o exame fosse realizado; depois da tragédia com os dois menores, queria entender como era possível morrer um menino cheio de saúde como aquele.

Trabalhador responsável, quando o dia clareou foi para o Senai avisar que faltaria no serviço, porque o corpo do filho aguardava liberação no Instituto Médico Legal. O diretor disse que lamentava o ocorrido, mas que não podia dispensá-lo porque no dia seguinte seria comemorada a festa da indústria nas instalações do Senai, a diretoria inteira estaria presente e o jardim necessitava de uma reforma.

— Estava estremunhado, sem dormir. Mesmo assim, fiz o jardim até as nove da noite; só no dia seguinte pude buscar meu filho no IML.

Dez dias depois desse episódio, foi chamado à sala do diretor, que falava com a esposa no telefone quando ele entrou. Terminado o telefonema, o homem levantou e disse que conversaria com ele mais tarde, porque precisava levar a filha ao dentista.

O sangue de seu Araújo subiu à cabeça:

— Não pôde me dispensar quando meu filho morreu, mas saía do trabalho para levar a filha ao dentista. Na frente da secretária e de todo mundo xinguei ele de um palavrão que tenho vergonha de repetir.

O chefe respondeu que não o levava a mal, que jamais iria demitir um empregado bom como ele, querido por todos na repartição.

Na semana seguinte ele mesmo pediu demissão; depois da ofensa ao diretor, sentiu que não havia como continuar ali.

Desempregado, prestou exame para a função de agente penitenciário. Estava em casa quando recebeu o telegrama que lhe dava o prazo de 24 horas para apresentar-se na Casa de Detenção.

— Naquele tempo não tinha escolinha para ensinar como agir com os presos. Já entrava e ia pegando as chaves.

Foi o começo de uma carreira que dura 33 anos; só no Carandiru foram 22, seguidos de transferências para a Casa de Detenção Feminina do Tatuapé e para os presídios Parada Neto e Adriano Marrey, ambos em Guarulhos.

Os anos de trabalho na cadeia não lhe tiraram a vaidade de calçar sapato de verniz, vestir calça com vinco e camisas impecavelmente passadas por ele mesmo aos sábados, nem o fizeram perder o amor pelas plantas, que trata com carinho em casa e nos jardins da Penitenciária do Estado, onde trabalha atualmente. Apesar do início humilde, chegou à chefia do pavilhão Oito, no Carandiru, posto para o qual eram designados apenas os mais hábeis, porque lá cumpriam pena os reincidentes; impossível manter em paz o resto da cadeia sem controlá-los.

Em 1989, quando o conheci, passava o dia num banquinho na gaiola de entrada do pavilhão, de olho no vaivém incessante dos detentos que entravam apressados na direção das celas e saíam para o pátio interno e o campo de futebol, como se fossem operários atrasados para bater o ponto.

No meio da balbúrdia, mantinha o ar enfadado do funcionário público relapso. De repente, como o cão de caça que ergue as orelhas e dispara, levantava do banco para barrar e revistar um transeunte. Era flagrante de contravenção na certa.

Na chefia, resolvia pessoalmente as ocorrências mais graves. Subia aos andares para apartar brigas, revistar celas e acalmar ânimos em momentos de tensão.

— E também para aplicar algum corretivozinho, quando se fazia necessário.

Não faz comentários nem descreve esses corretivos, muda de assunto quando alguém pergunta de que forma eram aplicados.

Para antecipar-se às tentativas de fuga e à execução de algum infeliz, contava com um grupo secretíssimo de informantes, de cuja sobrevivência cuidava com desvelo paternal. Respeitado por honrar a palavra empenhada, tinha regras claras para discernir o momento de favorecer, o de punir e o de perdoar.

Num mês de dezembro, recebeu a denúncia de que estavam cavando um túnel sob o campo de futebol do Oito, em direção à muralha, como parte de um plano de fuga em massa que aconteceria antes do Natal.

Levou a informação ao diretor de Disciplina e pediu ordem para procurar o túnel pessoalmente.

Esperou que os presos fossem recolhidos no fim da tarde, pegou a picareta e começou a cavar no ponto que lhe pareceu mais provável. Depois de fazer um buraco de quase um metro de profundidade, resolveu abrir outro ao lado.

Das janelas das celas que davam para o campo, a malandragem gritava e ria:

— Aí não, mais para a esquerda, senhor. Mais para a direita. Fura mais. Assim não vai achar. Está esquentando. Está frio outra vez.

Irritado, ele deu três passos para a frente, fincou com raiva a picareta no chão, olhou para cima, na direção dos andares mais altos, e perguntou:

— E aí, gente boa? É aqui que você contou que passava o túnel?

Não sobrou um ladrão nas janelas.

Questão de princípios

Guardas de presídio como seu Araújo formam uma corporação a um só tempo homogênea e diversa. A variedade dos aspectos físicos é enorme: vai dos baixos e magros aos de porte avantajado, que, embora nem sempre sejam altos, têm força para agarrar boi bravo pelos chifres. O tipo forte e rude predomina entre os mais velhos, contratados num tempo em que as cadeias eram tocadas na base do enfrentamento.

Já a origem social é semelhante: praticamente todos pertencem a famílias em que os filhos começaram a trabalhar cedo. A motivação que os levou às cadeias foi muito mais a segurança do emprego público do que algum apelo vocacional. Até o primeiro dia de trabalho, a maioria deles jamais havia imaginado pôr os pés numa prisão. Conheci pouquíssimos que se tornaram profissionais para atender um desejo de penetrar o universo atrás das grades. Entre eles, José Carlos Cecílio:

— Sempre me interessei pelo mundo do crime. Quando era adolescente, parava do outro lado da avenida Cruzeiro do Sul, de frente para o portão de entrada, olhava aquelas janelas com grade e pensava: um dia ainda vou trabalhar lá dentro.

Geralmente educados por pais severos que lhes impuseram princípios rígidos de comportamento, cresceram nos mesmos bairros periféricos de onde provêm os marginais. São incontáveis os casos de companheiros de infância que acabaram nos presídios guardados por eles.

Walter Hoffgen, mais tarde o segundo homem na hierarquia da Secretaria de Assuntos Penitenciários, foi contratado nos anos 1970, época em que os jovens deixavam o cabelo crescer até a altura dos ombros. No primeiro dia de serviço, quando se apresentou à chefia do pavilhão Oito, recebeu a incumbência de trancar as celas do terceiro andar, que abrigavam os mais indisciplinados.

Quando ele saiu para cumprir a tarefa, um dos funcionários comentou com o chefe, Mané Caixa:

— Chefe, mandar um menino inexperiente logo para trancar o terceiro andar?

— Deixa esse hippie cabeludo aprender a ser homem.

Bem mais depressa que o esperado, o hippie cabeludo estava de volta, ao contrário dos colegas que subiram com ele para trancar os demais andares. O chefe sorriu:

— Veio pedir ajuda, playboy? Os meninos não te obedeceram?

— Não tive problema, senhor, já tranquei todo mundo.

O chefe achou a façanha tão improvável que subiu para certificar-se.

Enquanto o trabalho dos mais velhos ainda estava pela metade, no terceiro andar não havia um único preso solto na galeria.

Mané Caixa não sabia que o recém-admitido era o afamado centroavante do Relâmpago, da Vila Califórnia, conhecido como Mazzola, assim apelidado pela semelhança física com o atacante do Palmeiras e da Seleção Brasileira. Com alta popularidade na zona leste, Walter fora imediatamente reconhecido pelos companheiros dos campos de várzea.

O impacto do ambiente prisional provoca transformações irreversíveis na personalidade do agente penitenciário. "Em que lugar eu vim parar?" é a frase mais usada para exprimir o choque dos primeiros dias no meio dos presidiários.

— Quando fui admitido, aos 29 anos, a cadeia era outra — disse Juan Isidro, pai de seis filhos e avô de uma menina que nasceu prematura, ocasião em que ele passou três dias num banco de maternidade pública sem tomar banho nem ir para casa, até a criança receber alta da UTI.

Juan foi aprovado no concurso para agente penitenciário junto com um amigo de infância. Vizinhos, criados na mesma rua, tomavam o ônibus para o Carandiru todas as manhãs. Seis meses depois da admissão, o amigo comprou um fusca velho e lhe ofereceu carona. Quando ele perguntou como havia adquirido o carro com salário tão baixo, o outro sorriu:

— Você ainda não aprendeu que os presos não podem receber dinheiro de fora? Resolvo esse pequeno problema por módicos 30%.

— Não tem medo de ser pego?

— Qual é, meu? A gente corre risco de morrer nesse lugar, para ganhar essa miséria? Usa a cabeça, compadre.

Juan havia prestado concurso contra a vontade do pai, imigrante espanhol que não queria vê-lo naquele meio. Quando argumentou que se tratava de um emprego como outro qualquer e que tinha mulher e filho para manter, o pai se limitou a aconselhar:

— Se você for um homem honesto e de palavra, será respeitado mesmo num ambiente como esse.

O colega que usava a cabeça trilhou o caminho oposto ao desses ensinamentos, até ser surpreendido na sala de Revista com cinco maços de dinheiro atados à parte interna do cinto. Foi levado imediatamente à presença do diretor-geral, um coronel da PM que mandava e desmandava como se o presídio fosse extensão do quartel que comandara. A conversa foi persuasiva:

— Ou você pede demissão, vagabundo, ou quebro a tua cara e ainda abro um processo por justa causa.

Juan perdeu a carona das manhãs, mas deu mais valor às palavras paternas.

Meses mais tarde, o chefe do pavilhão em que trabalhava o convidou para uma cerveja no fim do expediente. Ele achou esquisito: o homem era enfezado, ignorantão, sempre aos berros, não olhava na cara dos mais novos nem se dava o trabalho de responder quando o cumprimentavam. Dos subordinados exigia respeito, barba feita e pontualidade britânica, embora chegasse tarde e saísse mais cedo, porque à noite trabalhava como segurança numa casa de jogos clandestina. Ao entrar em sua sala, os presos e os funcionários que trabalhavam na burocracia do pavilhão largavam tudo e ficavam em pé, em posição de sentido, à espera do gesto displicente para ordenar que sentassem.

Na mesa do bar, o chefe fez questão de esclarecer que o fato de estarem ali descontraídos não serviria de pretexto para intimidades no serviço. No botequim podiam rir e falar da vida, no setor jamais; do portão para dentro, era "sim, senhor", "pois não, senhor", "por obséquio" e "por gentileza".

Feita a admoestação, foi direto ao assunto:

— Quando surgir alguma oportunidade, traz para mim que você não vai se arrepender. Viro animal quando meus funcionários se metem a fazer negócios por conta própria.

A oportunidade veio a cavalo. Na semana seguinte o diretor-geral entrou no pavilhão para providenciar a transferência de trinta homens para a Penitenciária do Estado. Dirigiu-se à salinha da chefia e mandou reuni-los.

Juan Isidro foi encarregado de ir buscá-los. Ao descerem a escada, um deles cochichou em seu ouvido:

— Senhor, não posso ir para a Penitenciária de jeito nenhum. Vou perder o que ganho aqui para sustentar mulher, três filhos e mãe viúva. Pago 1700 para ficar.

Juan explicou que impedir a transferência estava fora de seu alcance. O máximo que poderia fazer era levar a proposta ao chefe do pavilhão, mas como fazê-lo na presença do diretor-geral?

Enquanto os transferidos se enfileiravam para ouvir as orientações, criou coragem e fez um sinal nervoso para o chefe, que levantou e veio até ele com cara de pouquíssimos amigos:

— Fala. Tomara que seja importante.

— Senhor, aquele ali que tem um lado da testa afundado paga 1700 para ficar.

O chefe foi incisivo:

— Pode dizer que ele não vai.

De fato, não foi. Assim que o diretor-geral saiu, Juan chamou o rapaz:

— Ô testa afundada, é o seguinte: se der um chapéu em nós, vai me colocar na decepção, e, quando me decepciono com alguém, o final é infeliz.

O rapaz tranquilizou-o. Podia confiar, o irmão viria visitá-lo no domingo seguinte. Juan não estaria de plantão, mas iria à cadeia especialmente para viajar com o visitante até Santos, ocasião em que receberia 2200 cruzeiros. Dessa importância, quinhentos corresponderiam à parte que lhe tocava como agradecimento pela prestação do serviço.

No fim da tarde de domingo, os dois tomaram o ônibus para Santos, desceram na entrada da cidade e pegaram outro ônibus que os levou ao pé de uma favela, com barracões de madeira iluminados por luzes de lampião que serpenteavam morro acima. Havia escurecido, o carcereiro teve um mau presságio:

— Era uma quebrada cabulosa, sem luz elétrica. Mandei o cara subir por conta própria, que eu esperava no ponto de ônibus.

O outro insistiu que fossem juntos, era mais perigoso um estranho ficar sozinho naquele local do que subir acompanhado por um morador. Desconfiado com a insistência, ele não arredou pé. Não tinha falado com ninguém sobre a viagem nem trouxera a carteira profissional; se o matassem, desapareceria sem deixar vestígio:

— E o preso ainda ia dizer que eu tinha fugido com o dinheiro.

Passou quase uma hora, e nada. Quando três tipos mal-encarados saíram de um beco e caminharam em sua direção, entendeu que caíra numa cilada. Pensou na mulher e no filho; quanta ingenuidade meter-se numa enrascada daquelas sozinho e desarmado. Estático, com o coração disparado, sem mover um músculo do corpo, esperou pelo pior.

Os três se detiveram a poucos metros dele. Sem tirar a mão direita do bolso, o mais gordo se aproximou:

— E aí, do casaco de couro, tá esperando quem?

Ele nem sequer sabia o nome daquele que o trouxera, mas lembrava o do irmão com a testa afundada. Explicou que viera buscar uma encomenda para levá-la à cadeia. Ao ouvir o nome do prisioneiro, o gordo perguntou como era ele e onde estava preso. Quando Juan disse que o sujeito tinha um defeito na testa e estava no pavilhão Sete da Detenção, o outro sorriu:

— Tá limpo. Diz pra ele que o Latrô mandou considerações.

Foi um alívio quando o farol do ônibus iluminou a rua, mas Juan não chegou a subir no veículo como acabara de decidir, porque viu o vulto do irmão do preso virar a esquina com um pacote.

— Demorou, meu, quase fui embora. Agora, tem o seguinte: você me acompanha até a rodoviária, porque, se eu for assaltado no caminho, seu irmão vai se complicar.

Para mostrar que viera preparado para escoltá-lo, o rapaz levantou a camisa e exibiu o revólver de cabo de madrepérola no cinto.

Segunda-feira, já havia passado do meio-dia quando o chefe chegou com a cara enfezada de sempre. Juan pediu licença para entrar, fechou a porta da salinha e lhe entregou os 1700 combinados, sem mencionar a parte que já lhe coubera. O chefe contou o dinheiro e separou quinhentos:

— É seus.

No total, recebeu mil, quantia equivalente ao salário que levava cinco meses para ganhar. Ele não considera haver traído os ensinamentos do pai:

— Não fui desonesto: não pedi nem tomei nada de ninguém.

Ficou em paz com a consciência porque arriscou a vida para buscar o dinheiro, o ladrão conseguiu o que pretendia, deixou de ser transferido não por ordem dele, Juan, que não tinha autoridade para tanto, mas por ordem do chefe do pavilhão, que recebeu o combinado sem levantar da cadeira. Se, por vontade própria, cada uma das partes envolvidas achou por bem presenteá-lo com quinhentos, caberia a ele recusar?

— Veio na hora certa, meu, minha mulher estava na maternidade, meu segundo filho tinha acabado de nascer.

Carcereiros do passado

Não é de hoje que carcereiros gozam de má reputação. Já em 1769, nas Atas da Câmara de São Paulo há queixas sobre as dificuldades em contratar homens para essa função e relatórios com denúncias do mau comportamento de alguns deles.

No livro *As prisões em São Paulo: 1822-1940* (São Paulo: Annablume; Fapesp, 1999), ao qual devo as informações históricas que seguem, Fernando Salla cita um documento da Câmara referente a Pedro José de Azevedo, cidadão "provido novamente na ocupação de carcereiro" que havia cometido faltas graves: "Por este deixar andar presos criminosos, como de devassas e querelas, fora da cadeia pública aonde por ordem da justiça estavam recolhidos; como também meter em prisões rigorosas sem causas, nem motivos de que pudesse haver desconfiança de fuga da cadeia...".

Na época do Império, o aprisionamento dos que desobedeciam à lei era responsabilidade do poder municipal. Na cidade de São Paulo não havia um recinto especialmente construído para funcionar como cadeia: os prisioneiros cumpriam pena em casas adaptadas para recebê-los, sem condições de higiene e segurança, "colocadas no largo de São Francisco, em prédios particulares e, mais tarde, na segunda metade do século XVIII, em uma ou duas casas contíguas à igreja da Misericórdia".

Só em 1787 surgiu a primeira cadeia edificada especificamente para esse fim. Foi instalada no térreo do sobrado em que funcionava a Câmara, local onde se reuniam os vereadores sob a presidência do juiz. Os presos eram levados para o andar superior, descendo por alçapões para as celas, numa das quais, sem abertura para o exterior, ficavam os que tinham cometido delitos mais graves e aqueles que seriam submetidos a torturas. Para que não faltasse amparo espiritual aos condenados à morte, no cubículo dos que aguardavam a execução havia um altar com Jesus crucificado.

Situada no largo de São Gonçalo, a Casa de Câmara e Cadeia foi a primeira tentativa de construir um lugar fixo para encarcerar os paulistas que se comportavam mal. O fato de as autoridades se reunirem no andar superior colocava-as quase em contato direto com os condenados; ainda não havia surgido a ideia de trancafiá-los em construções isoladas por muralhas, distantes do poder público e dos olhos da sociedade.

A superpopulação já era problema grave, porque as cidades do interior que não dispunham de instalações semelhantes encaminhavam seus condenados para cumprir pena na capital.

A dificuldade para conseguir alguém que concordasse em trabalhar como carcereiro dava origem à pressão da comunidade para que a Câmara obrigasse algum cidadão a aceitar o cargo.

Um ofício de 1809 expedido pela Câmara de São Paulo proclamava "a necessidade que temos de um carcereiro capaz de se confiar nele os muitos presos que entram para a cadeia desta cidade", tarefa difícil porque o cargo era considerado "de muita sujeição e perigo e pelo diminuto interesse de 36 mil-réis". Como consequência, "só se sujeitam a servir nesta ocupação homens totalmente ineptos e de nenhum crédito, de que resulta a frequente fugida de presos, ou porque os ditos carcereiros se deixam subornar deles, ou por mera ineptidão".

Embora a Irmandade da Santa Casa de Misericórdia complementasse a alimentação insuficiente servida na cadeia uma única vez por dia, as péssimas condições de higiene, a hanseníase, a tuberculose endêmica e a inexistência de qualquer tipo de assistência médica eram responsáveis por taxas de mortalidade altíssimas.

Como não havia muralhas, os presos ficavam em contato direto com os transeuntes, pedindo esmolas e conversando com familiares e amigos através das grades. Assim, a posse de armas e as fugas faziam parte da rotina, e o abuso de álcool era generalizado.

O aprisionamento não tinha outra finalidade senão a de retirar do convívio social e castigar os que cometeram crimes, não havendo preocupação alguma em oferecer-lhes condições dignas de vida nem interesse em reinseri-los na sociedade. Nesse contexto, a função do carcereiro se limitava a garantir a ordem interna e evitar fugas, tarefas para as quais eram designados homens sem preparo, que se sujeitavam a trabalhar em troca de salários aviltantes.

Essa realidade se manteve até o século xx, quando foi inaugurada a Penitenciária do Estado, construída com a filosofia de "regenerar" os condenados através da aplicação dos métodos que refletiam o pensamento dos criminalistas da época.

Os homens contratados para vigiar presidiários, entretanto, continuaram mal pagos e sem formação técnica. No primeiro dia de trabalho eram jogados no meio da massa carcerária; que se virassem para aprender o ofício com os colegas mais velhos e com os próprios detentos. Escolas com cursos de preparação e de reciclagem para agentes penitenciários surgiram apenas nos últimos anos.

As condições das carceragens das delegacias, cadeias públicas e da maioria dos presídios brasileiros da segunda metade do século passado não eram muito melhores que as das prisões de duzentos anos atrás.

Os delatores

No passado como no presente, o número de agentes penitenciários encarregados da vigilância nas cadeias brasileiras sempre esteve abaixo daquele preconizado pelas normas técnicas internacionais.

Nos plantões noturnos da antiga Casa de Detenção, cinco ou seis funcionários que haviam passado o dia fazendo "bicos" como segurança em supermercados, lojas ou agências bancárias do centro da cidade eram incumbidos de guardar pavilhões com mais de 1500 detentos. Nos dias de semana festivos, como Natal e Dia das Mães, cerca de duzentos funcionários de plantão eram encarregados de revistar e vigiar 20 mil a 25 mil visitantes.

Para tão poucos controlarem tantos, é preciso conhecer as leis do crime, entender o funcionamento da cadeia, a dinâmica e o impacto do encarceramento na mente humana, decifrar personalidades e intenções ocultas, ter anos de experiência e empregar métodos nem sempre ortodoxos.

O carcereiro que faz diferença na imposição da disciplina e

na manutenção da ordem nas galerias é aquele capaz de antecipar-se aos acontecimentos inusitados. No entanto, como adivinhar quem prepara um plano de fuga, destila pinga, suborna um funcionário para que traga celulares, drogas ou faça vistas grossas à entrada do revólver que causará a próxima tragédia, sem contar com a colaboração do informante, figura-chave nas cadeias do mundo inteiro? Sem ele não existem bons guardas de presídio.

A relação entre o carcereiro e o informante é acima de tudo interesseira: um precisa da informação, o outro pretende usá-la como moeda de troca para obter a maior vantagem possível; delações desinteressadas são raras. Entregar o companheiro sem pedir nada é fato tão incomum que o funcionário não descansa até descobrir a verdadeira motivação por trás dele. Um preso pode avisar que em determinado xadrez há um quilo de cocaína apenas com a intenção de eliminar o concorrente comercial; outro pode contar que estão cavando um túnel por ter sido alijado do grupo ou para vingar-se de uma desavença; outro o faz porque está para ser libertado e tem medo de sofrer punição por culpa dos companheiros.

A maioria dos casos, entretanto, está ligada a pretensões mais rasteiras: transferência para outro pavilhão, pequenas regalias nos dias de visita, uma declaração de bom comportamento que possa ajudar diante do juiz, um colchão novo ou um posto de trabalho que dará direito à remissão da pena.

Ao analisar os prontuários dos presos, Cecílio, na época diretor de um presídio de Guarulhos, ficou surpreso ao ler que o líder da facção que impunha suas leis nas galerias tinha uma condenação por estupro, ao lado de outras por assaltos e assassinatos.

Chamou o rapaz para uma conversa particular em sua sala.

— A casa caiu, companheiro. Chegou aos meus ouvidos uma história escabrosa.

O estuprador quis negar, mas o diretor tinha levantado todos os detalhes do crime: hora, lugar, nome da vítima, quem foram as testemunhas e a pena imposta pela juíza. Depois de enumerá-los, perguntou com inocência:

— Você já imaginou se resolvo contar que o bandidão respeitado que só me cria problema deu uma mancada dessas?

— Se o senhor fizer isso, estou morto.

— Pois é. Que triste, não?

Levantou da cadeira atrás da escrivaninha e deu o assunto por encerrado.

O preso não se moveu:

— Espera aí, senhor. Pelo amor de Deus, não posso morrer. O que o senhor quer que eu faça?

— Ainda não sei. Depois de tudo o que você aprontou, preciso refletir se eu quero você vivo.

Desse dia em diante, o bandidão que comandava mais de quinhentos presos com mão de ferro passou a colaborar com o diretor, embora fizesse questão de afirmar a cada informação que transmitia:

— Isso não está certo, seu Cecílio.

Os funcionários antigos lamentam o aparecimento de facções que impõem suas leis nos presídios atuais, inversão de papéis que ganhou força após o massacre de 1992. A estupidez assassina da autoridade de quem partiu a ordem para a PM invadir o pavilhão Nove, tomado por uma rebelião que não havia feito um único refém, situação que os carcereiros teriam resolvido com facilidade caso lhes dessem a oportunidade de negociar com os rebelados, foi um divisor de águas na história das cadeias paulistas. A partir do dia 2 de outubro de 1992 os presos se organizaram para assumir o poder no interior dos presídios, criando um nível de cogestão interna que jamais seria admitido se não tivesse ocorrido aquele evento absurdo.

Irani Moreira, agente penitenciário há muitos anos, resume a dificuldade atual para saber o que acontece na cadeia:

— Quando a disciplina é frouxa, o que nós temos para oferecer em troca da informação?

Nesse emaranhado de interesses, separar o joio do trigo é tarefa para profissionais habilidosos, que precisam ouvir muito, falar pouco, entender os códigos, identificar o interesse do delator, desconfiar da história sem demonstrar incredulidade, e encontrar meios para confirmá-la sem aparentar conhecê-la, para não pôr em risco a integridade física do declarante. Alcaguetagem no mundo do crime é falta gravíssima, passível de pena capital.

Embora os delatores muitas vezes ajam em defesa da própria vida ou premidos por circunstâncias que não lhes deixam alternativa, Luiz Wolfmann, o Luizão, lendário diretor-geral do Carandiru e da Penitenciária nos anos 1980, que mantinha uma rede de espionagem com ramificações em todos os pavilhões, defende a teoria de que a delação tem raízes genéticas:

— Reconheço de longe o alcagueta, ele já nasceu contando para a mãe que o irmãozinho fez uma estrepolia; na escola primária entregava os coleguinhas para a professora; na prisão, sente um prazer quase sexual ao denunciar, mesmo correndo risco de morrer.

Guilherme Rodrigues, funcionário de longa carreira, que conheci quando diretor-geral da Penitenciária do Estado e com quem tenho convivido desde então, é mais radical: acha que é difícil encontrar um ladrão que não dê com a língua nos dentes:

— Vai só de ter paciência e de saber trocar uma ideia; tratar com respeito, mostrar que estou interessado na vida dele e no bom andamento da cadeia.

Hoje diretor-geral de uma das unidades do CDP Pinheiros, Guilherme ainda conserva um caderno de capa preta com os códigos que cada informante usava para comunicar-se com ele por meio de bilhetes anônimos: uma casinha, um círculo cortado ao meio, um cometa, um trilho de trem, ordenados ao lado do nome e da matrícula do delator, para que este pudesse ser identificado. São muitos, ocupam várias páginas.

Por mais relevante que seja a informação recebida, o funcionário experiente finge desinteresse, faz duas ou três perguntas e dá a conversa por encerrada. Desqualifica a importância dos fatos a ele relatados, com o objetivo de frustrar as expectativas do interlocutor em relação às vantagens que pretenderia obter.

Vem em seguida a parte mais delicada e laboriosa da investigação: apurar a veracidade da história sem levantar suspeitas na galeria. Uma pergunta mal endereçada, uma palavra a mais, um olhar bisbilhoteiro ou a simples ameaça de um movimento em falso pode despertar desconfiança entre os investigados e pôr tudo a perder. Todo cuidado é pouco para preservar a vida do informante e elaborar a estratégia para o bote inesperado em cima dos contraventores.

O carcereiro acredita e por princípio desconfia do alcagueta, mas a recíproca não é verdadeira, porque o informante não tem alternativa senão confiar: o ato de delatar coloca seu destino nas mãos do outro. Curiosamente, o poder de decidir sobre a vida e a morte do informante instiga no funcionário a obrigação de preservar-lhe a integridade a qualquer preço. A proteção disfarçada, mas onipresente, cria condições propícias para novas delações e para laços de solidariedade que só conheço entre amigos de longa data.

A batalha do conhaque

O caso que se passou com Irani e Florisval, dois funcionários do antigo Carandiru, que serão personagens de outras histórias deste livro, é ilustrativo.

Ao cruzar no pátio interno do pavilhão com o preso de baixa estatura que mancava da perna esquerda, torta e bem mais curta, Irani pôs em prática a operação ensaiada: olhou para a direita, enquanto o outro virava a cabeça para o lado oposto.

Sem esboçar movimento nos lábios, o baixinho murmurou quase inaudível:

— Trinta litros de Dreher no terceiro andar.

Irani, chefe do pavilhão, ficou surpreso: como teriam passado pela revista tantas garrafas? Parecia inverossímil, mas levou a história em conta porque o informante já dera várias provas de lealdade.

No fim do plantão, decidiu transmitir a notícia a Florisval, diretor de Disciplina da Casa. Os dois concluíram tratar-se de audácia inaceitável contrabandear tantos litros de bebida para dentro da cadeia, e programaram uma blitz para a manhã seguinte.

Logo cedo, Florisval chegou de óculos escuros no pavilhão para organizar a busca. Enquanto os carcereiros escalados vasculhavam os xadrezes do terceiro andar, os dois sentaram na sala de Administração.

Não tardou para que um detento se aproximasse do balcão à frente deles:

— Com a permissão de suas senhorias, posso relatar uma pequena reivindicação que se passa comigo?

Era Paulão da Vila, um preso de bom comportamento encarregado do café na copa dos funcionários. Comprido e desajeitado, sua magreza franciscana contrastava com o físico compacto dos outros dois, fortes como touros. Pedia autorização para receber no sábado a visita da mãe, que viria de Presidente Prudente, no oeste do estado, de carona com um vizinho.

Embora Irani devesse favores a Paulão pela atenção com o café e por informações prestadas em algumas oportunidades, ele argumentou que o dia de visita era domingo e que, se abrisse exceção, não poderia negar pedidos de outros. O rapaz retrucou que estava há um ano sem ver a progenitora, senhora de idade sem dinheiro nem saúde para viajar mais de quinhentos quilômetros de ônibus, sozinha, até a capital.

A conversa foi interrompida por um tropel vindo da escadaria do pavilhão. Em segundos, mais de trinta presos com os rostos cobertos por máscaras de ninja, armados com facões e estiletes, pararam na entrada. À frente, o líder, que vestia a camisa do São Paulo e era o único com a cara à mostra, foi direto ao assunto:

— Esse X-9 que entregou os Dreher vai morrer agora.

Antes que os dois funcionários tivessem tempo de reagir ao susto, Paulão da Vila voou por cima das mesas e saltou o balcão sem o apoio das mãos, em busca de refúgio na salinha da diretoria, contígua. Irani e Florisval se apressaram atrás dele, com o intuito de entrar e trancar a porta, proeza que conseguiram realizar com muito esforço.

Encurralados na salinha, os três jogaram o corpo contra a porta para deter os inimigos que tentavam arrombar a fechadura a pontapés. De quando em quando as investidas eram interrompidas para que o são-paulino avisasse:

— Nosso problema não é com os senhores, é com o magrelo dedo-duro. Entrega ele para nós, que já era.

Na tentativa de contê-los, Florisval gritava: "Calma, meninos, calma, meninos", frase que seria lembrada durante anos pelos colegas quando queriam provocá-lo.

Depois de várias tentativas frustradas de estourar a fechadura, um dos justiceiros decidiu descarregar o ódio assassino contra a porta, que, infelizmente, era de compensado. A fragilidade do material foi incapaz de resistir à passagem da lâmina afiada que a trespassou até chegar ao cabo.

A primeira facada foi seguida de muitas outras. Na sala, a situação se agravou: impedir o arrombamento exigia firmar os pés no chão para jogar o peso do tronco e a força dos braços contra a porta e ao mesmo tempo desviar-se das facadas que atravessavam o compensado como se fosse de papelão.

A desigualdade da luta demandava esforço extremo. Aos gritos de "força" e "vamos lá", cada um procurava incentivar os outros dois. Desesperado, Paulão implorava que não desistissem, estava para morrer.

— E nós, não, malandro? — perguntou Irani.

Com a voz embargada pelo esforço físico, Florisval insistia no "calma, meninos".

Calma era justamente o que faltava aos meninos decididos a matar a pessoa errada. Aos gritos de "vai morrer", arremessavam-se em bloco contra o compensado, que naquela altura mais parecia um paliteiro com lascas que esvoaçavam para todo lado. Quando conseguiram arrebentar a fechadura e abrir um vão no batente, Irani mudou perigosamente a posição do corpo e levou uma facada no ombro. O bisel afiado penetrou fundo logo abaixo da clavícula.

Em vez de intimidar os três, o sangue que jorrou lhes deu mais energia. Enquanto os funcionários executavam o malabarismo de bloquear a entrada e se desviar das lâminas, Paulão conseguiu arrastar uma escrivaninha pesada até a porta. O expediente permitiu que se afastassem da zona de maior perigo, mas o alívio durou pouco, porque o compensado começou a rachar verticalmente de cima para baixo. Não havia mais como se aproximar do batente sem correr risco de morte. A resistência chegava ao fim.

Paulão tremia como vara verde contra a escrivaninha. Irani perguntou a Florisval como fariam quando a multidão invadisse a sala, mas a resposta do diretor de Disciplina não lhe trouxe otimismo:

— Não faço a menor ideia.

Parecia tudo perdido, quando uma voz conhecida entrou pela janela que dava no pátio interno:

— Seu Florisval, pega o ferro aqui.

O diretor de Disciplina largou a escrivaninha, trepou numa cadeira e alcançou o revólver que o colega lhe passava através das grades da janela, que ficava no alto da sala.

Ao voltar à posição de origem, já não tinha o tom conciliador. Em vez do "calma, meninos" repetido à exaustão, gritou o mais alto que pôde:

— Agora quero ver quem é homem, seus covardes filhos da puta.

O tiro ecoou seco, atravessou a rachadura e arrancou reboque do teto do lado oposto.

Não houve necessidade de disparar o segundo, a malta debandou desabalada na direção da escadaria.

Os três saíram da sala. Não havia um detento sequer nas imediações, apenas o colega que fora atrás do revólver e um grupo de agentes penitenciários que chegava para ajudar.

O preso que escapara da morte foi levado com pressa para lugar seguro. Irani sentou numa cadeira, enquanto os companheiros procuravam estancar o sangue que escorria do ferimento. Estava pálido, mas aparentemente tranquilo, ao contrário de Florisval, que, ao ver o amigo tão ensanguentado, perdeu a cabeça:

— Quero aqui o cara que armou. Aquele são-paulino folgado que veio com a cara descoberta.

Três homens subiram para buscá-lo. Os degraus estavam atapetados de havaianas que os rebelados perderam na correria.

Trazido à presença do diretor, o líder do ataque cometeu a imprudência de perguntar com sorriso insolente:

— Algum problema, chefia?

Branco de ódio, Florisval avançou contra ele aos socos e pontapés. Em seguida pulou no pescoço do rapaz, que foi ao chão. Primeiro aos gritos, depois com o emprego da força, os funcionários ali presentes lutaram para demovê-lo da intenção de estrangular o inimigo.

Para retirá-lo de cima do outro, que já estava com o rosto cianótico, foram necessários quatro homens. Tinha a camisa ensopada e o rosto lavado de suor. Assim que se acalmou, mandou tirar de sua presença o torcedor do São Paulo e agradeceu a intervenção dos colegas:

— Muito obrigado. Acho que eu ia matar esse cara.

Hulk

Não nasce do dia para a noite o destemor para enfrentar situações dramáticas como a da batalha do conhaque nem a fúria assassina que por pouco não fez Florisval cometer um ato insano.

Praticamente todos os guardas de presídio eram pessoas com bons antecedentes, que levavam vida pacata nas ruas dos bairros em que viviam. Nem mesmo os que mais tarde adquiririam fama de "caceteiros" prestaram concurso para agente penitenciário por apresentar alguma psicopatia ou pelo prazer sádico de torturar seres humanos. A convivência diária com a brutalidade da cadeia e com a falta de respeito à vida é que os contamina e transforma.

Quando perguntei a um ladrão condenado a mais de 120 anos quantas mortes tinha nas costas, ele respondeu:

— Perdi a conta. Para quem vive no crime, matar um inimigo é como tomar um copo de água.

Hulk foi o carcereiro mais forte que conheci. Antes de ser apresentado a ele, já tinha ouvido que, na sala em que os funcionários eram revistados antes de entrar na cadeia, havia "um negão do tamanho de um guarda-roupa de casal", de modo que foi fácil identificá-lo quando saí naquele começo de noite.

Parecia uma estátua africana com os braços cruzados no umbral da salinha, vigiando os presos enfileirados que acabavam de chegar. A figura imponente ocupava a moldura inteira da porta.

A admissão de novos detentos acontecia todo fim de tarde. Os homens desciam dos camburões no pátio interno, conhecido como Divineia, para formar a fila que os levaria às celas coletivas do Dois, onde teriam o cabelo cortado rente nas têmporas, receberiam a calça cáqui que os identificaria e passariam várias noites dormindo no chão, colados uns aos outros, com os tênis ou as havaianas servindo de travesseiro, em meio às sarnas e à tosse alheia, até conseguir vaga nos demais pavilhões.

Como em obediência a um comando superior, ao descer do camburão invariavelmente olhavam ao redor e para cima, na direção das muralhas guardadas pelas metralhadoras dos PMs. Abaixavam a cabeça e seguiam em frente até desaparecer atrás do portão de ferro do Dois, engolidos pelo monstro de concreto cinzento.

A chegada de presos em qualquer cadeia é um espetáculo desolador; não tem a menor graça ver aquelas vidas — jovens na maioria e pobres na totalidade — desperdiçadas atrás das grades. Nada mais semelhante à imagem dos bois a caminho do matadouro. Apesar da melancolia que a cena me faz sentir, até hoje não consigo deixar de acompanhar essas admissões atento aos detalhes e às expressões individuais como se fosse possível desvendar o mal que eles fizeram, os dramas familiares e a agonia que lhes vai na alma ao deixar a liberdade para trás.

A "Ave Maria" de Gounod, cantada por uma soprano que nunca pude identificar, às seis da tarde na Boca de Ferro, o alto-falante fanhoso instalado no alto da fachada do pavilhão Dois, horário que em geral coincidia com a admissão de novos detentos, ficou para mim definitivamente associada à fila de prisioneiros a caminho do portão que por anos seguidos os separaria do mundo livre. Se num fim de tarde eu decidir dar cabo da vida mas sentir que me falta coragem, bastará colocar no aparelho de som um CD com a "Ave Maria".

O guarda-roupa de casal plantado à porta já tinha ouvido falar de mim, porque sorriu quando me aproximei:

— O senhor é o médico voluntário?

— E você só pode ser o Hulk.

O tamanho fazia jus ao apelido, mas não ao sorriso desarmado nem ao olhar de boi manso. Sorte que fui decidido para o aperto de mão, do contrário teria corrido o risco de vê-la esmigalhada.

Parei a seu lado enquanto os presos seguiam caminho. Quando passou por nós, o penúltimo da fila voltou-se para ele:

— Está me achando bonito?

Hulk descruzou os braços e andou firme na direção do atrevido. A fila estancou. Ele parou quase colado no rapaz, franzino, minúsculo perto do gigante. Tive a impressão de que seria levantado do chão e arremessado por cima da muralha, mas Hulk ficou mudo, com as narinas dilatadas. Ninguém se movia; nem ele, com os olhos fixos no ladrão que não ousava encará-lo.

Quando a tensão se tornou insuportável, Hulk retirou a esferográfica do bolso da camisa:

— Conhece esta arma? Me dá o número do teu prontuário.

Assim que os presos entraram pelo portão do Dois, perguntei que arma era aquela.

— Hoje em dia, doutor, é a única que o agente pode carregar, para anotar no prontuário a infração cometida. Atrasa a vida do sentenciado mais que uma surra de pau.

Funcionário antigo, ele veio para a Detenção depois de alguns anos no presídio do Hipódromo, desativado no início dos anos 1990.

Localizado no bairro paulistano da Mooca, o Hipódromo era uma prisão atípica, porque não tinha muralhas nem era vigiado pela PM: a segurança ficava por conta exclusiva dos guardas que trabalhavam sem armas num ambiente que lembrava o dos calabouços medievais. As celas não passavam de cubículos escuros fechados por grades, envoltos no cheiro acre das aglomerações humanas, nos quais os presos passavam os dias e as noites enjaulados, sem condições mínimas de convivência civilizada. Os corredores eram tão estreitos que os carcereiros tinham como norma percorrê-los de lado, para colocar o corpo fora do alcance dos ocupantes das celas.

O pequeno pátio interno, situado no topo do prédio, mal permitia o banho de sol em rodízios de curta duração. Os homens cumpriam pena trancados, a disputar o espaço físico, apertados uns contra os outros, no ócio, à espera do ofício que se dignasse a transferi-los ou libertá-los. Sem os préstimos de advogados particulares, privilégio raro, podiam mofar durante anos nessas condições. A única alternativa para escapar daquele inferno era saltar do teto da cadeia para o telhado da gráfica que funcionava ao lado, aventura em que o risco de fraturar as pernas era grande.

A precariedade das instalações era fonte permanente de desentendimentos, revoltas, mortes e tentativas de fuga. Sem contar com a intimidação que a presença constante dos policiais militares nas muralhas impõe nos presídios, muitos funcionários do Hipódromo aderiram à filosofia de que só era possível manter a disciplina na base do constrangimento físico. Numa época em que reprimir com violência fazia parte da rotina nas prisões, os colegas que trabalhavam em outras unidades diziam que o lema da turma do Hipódromo era bater antes para perguntar depois.

Hulk decidiu entrar para o Sistema Penitenciário aos dezoito anos, ao ouvir o conselho do pai de um amigo, funcionário que se aposentara após trinta anos de serviço na Penitenciária do Estado:

— Com um tamanho desses, você devia ser boxeador ou guarda de presídio.

Como seu maior sonho era comprar um terno azul-marinho para fazer boa figura nos bailes de sábado à noite do Som de Cristal e do Paulistano da Glória, a segunda opção lhe pareceu mais razoável:

— Não nasci para tomar soco na cara nem para ficar de agarra-agarra com homem.

Vestia o terno que comprara em seis prestações na Casa José Silva, da Brigadeiro Luiz Antônio, assim que recebeu o primeiro salário, quando conheceu a moça com quem casou e teve três filhos. Pai carinhoso e filho exemplar que não voltava para casa sem descer do ônibus dois pontos antes para passar pelo sobradinho da mãe viúva que vivia com uma irmã mais velha do que ela, estava sempre pronto para os que dele necessitassem, fossem familiares ou vizinhos do bairro. Diziam que seu coração era proporcional ao tamanho do corpo. Só não emprestava dinheiro, por princípio:

— Quando me pedem, reflito: é melhor ser antipático agora ou na hora de cobrar a dívida atrasada?

Ao ser designado para o Hipódromo, ficou chocado com as sessões de interrogatório, em que os presos eram levados para uma salinha reservada, de onde saíam em estado deplorável. Quando perguntava se era realmente necessário agir daquela maneira, os mais velhos repetiam que não havia outra, que ele chegaria à mesma conclusão quando conhecesse melhor a laia de gente com quem lidavam.

Desde criança pouco afeito ao uso da força nas disputas com os companheiros da zona norte, trouxe para o trabalho o mesmo temperamento conciliador: considerava o diálogo, as advertências e a caneta para preencher relatórios sobre as faltas cometidas instrumentos suficientes para controlar e punir os indisciplinados. Um dos colegas daquele tempo diz que não era vantagem, a delicadeza no trato encontrava respaldo na aparência física:

— Só de olhar para o tamanho do negão, o interrogado tremia. A gente até ameaçava: "Vai contar para mim ou prefere que eu chame o Hulk?".

Uma tarde, quando se preparava para sair do plantão, trouxeram à sua presença um rapaz de olhos aterrorizados, preso alguns dias antes por fazer parte de uma quadrilha de adolescentes que roubava toca-fitas nas adjacências da PUC, em Perdizes. Tinha o rosto inchado e o corpo coberto de manchas roxas, queimaduras com ponta de cigarro e cortes de faca, sequelas da luta travada com os quatro companheiros de xadrez, na tentativa infrutífera de evitar o estupro coletivo. O sangue que manchava a camisa e escorria pelas pernas da calça formou uma poça no chão. Quando a ambulância chegou, já estava a ponto de perder os sentidos.

Hulk ajudou a transportá-lo e subiu até a cela dos estupradores. Sem dizer uma palavra, retirou os dois que estavam mais próximos da porta e fechou o cadeado.

Na salinha do térreo, perguntou ao mais gordo e ao magrinho o que tinha acontecido:

— Nada — respondeu o mais entroncado. — Nós aqui nesse esgano, chega esse menino bonitinho de olho azul.

Hulk agarrou-o pelas axilas, levantou-o a um metro do chão e arremessou-o contra a parede como um saco de batatas, que fez um som oco e desabou desacordado. Enquanto o magricela pedia pelo amor de Deus para ser poupado, ele enrolou um pano para proteger a mão esquerda e desferiu-lhe um soco no peito que o deixou roxo de falta de ar. Antes que recuperasse o fôlego, veio o segundo na ponta do queixo. Voaram dois cacos de dente.

Arrastou pelos pés até a sala ao lado os corpos inertes, deixou-os aos cuidados de um colega perplexo e subiu para buscar os que faltavam.

Dessa vez não fez perguntas.

Foi embora a pé. Perambulou sem rumo durante duas horas, nem pensou em ver a mãe e a tia-madrinha. Quando chegou em casa, a esposa estranhou a fisionomia carregada, o resto de comida deixado no prato, a mudez e o desinteresse pelas crianças.

Na cama, com a luz apagada, Hulk não viu sentido em rezar os três padre-nossos e as cinco ave-marias pela alma do pai e dos parentes que nem conhecera, como estava habituado a fazer desde pequeno. A mulher, os filhos que dormiam ao lado, a mãe e os vizinhos viviam em outro mundo, eram pessoas ingênuas, alheias às maldades que um ser humano é capaz de praticar, ao contrário dele, que não conseguia esquecer o olhar vazio do rapaz violentado, imagem atenuada apenas pela lembrança da surra que dera nos agressores enquanto imploravam clemência. Bando de covardes, cheios de coragem na hora de abusar do adolescente indefeso, degenerados capazes de se excitar sexualmente diante de um menino ensanguentado mas que tremiam de medo na frente de um homem disposto a arrebentar-lhes a cara. Arrependeu-se de haver feito pouco, devia ter batido com mais força, gente perversa como aquela merecia desaparecer da face da Terra.

Depois dessa ocorrência vieram outras, sempre justificadas por seu julgamento de que nelas havia a clara intenção de explorar, subjugar ou maltratar o mais fraco ou afrontar algum funcionário. Sem se dar conta, virou uma espécie de justiceiro interno, cada vez mais seguro de que devia impor seus conceitos de certo e errado, de crime e castigo.

A família e os amigos se queixaram da mudança: pouco visitava a mãe e, assim que a tia-madrinha mencionava o primeiro dos achaques que a afligia, levantava e ia embora. Tornou-se ensimesmado, rígido com o comportamento dos filhos, desinteressado da companhia dos amigos de infância, quase não conversava com os parentes nas festas de família, segurá-lo até a hora do parabéns era um parto. Começou a tomar cachaça ao chegar do trabalho: no início uma para abrir o apetite, depois duas ou três, e talvez tomasse mais não fosse a intervenção firme da esposa, a única pessoa com autoridade para repreendê-lo. Só conseguia relaxar quando estava com os companheiros de profissão; eles, sim, sabiam os limites que pode alcançar a perversidade humana, não viviam na superfície espumante de um mundo povoado de ilusões, mergulhavam na essência do comportamento dos homens, conheciam a vida como de fato é.

Na cadeia, eram cada vez mais frequentes os dias em que achava necessário bater em alguém, tarefa sempre executada no fim do expediente, depois da qual voltava para casa com a sensação do dever cumprido.

— Esse negócio de bater contamina a mente do cidadão. Ia chegando o fim da tarde, começava a ficar agitado, nervoso, enquanto não batesse num ladrão parece que não sossegava. Fiquei de um jeito que batia em um porque havia feito, em outro porque deixou de fazer.

Uma tarde, recebeu a denúncia de que havia um revólver escondido em determinado xadrez. Acompanhado por dois colegas que chegavam para o plantão noturno, transferiu os homens para outra cela e iniciou a busca. Rasgaram colchões, quebraram paredes, arrancaram o vaso sanitário.

Na manhã seguinte, chamou o informante:

— Tá tirando uma com a nossa cara?

— Não, senhor, é quente. Só se esconderam no xadrez de algum laranja. Quem deve saber é o carequinha que mora naquele que os senhores quebraram.

À noite, Hulk juntou duas escrivaninhas, colocou entre elas uma barra de ferro e mandou trazer o carequinha. Quando o suspeito entrou na sala, fez cara de bravo e perguntou com voz mansa:

— Já foi apresentado ao pau de arara?

— Sim, senhor, fui pendurado no Deic.

— Então, é o seguinte: ou você dá o revólver ou vou te pendurar por cinco minutos. Aí você descansa quinze minutos para refletir. Se não mudar de ideia, volta outra vez, só que agora por dez minutos seguidos dos mesmos quinze para reflexão. Da terceira vez serão vinte minutos; da quarta, quarenta. E, assim, vamos de dobro em dobro até você entregar. Contou onde o cano está mocozado, já era; maior tranquilidade.

Com o auxílio de um colega, atou com tiras de pano os punhos do preso, passou a barra de ferro por baixo das pernas dobradas, de modo a deixá-la entre as mãos amarradas e os joelhos, ergueu-a do chão e apoiou-a nas mesas. O homem ficou pendurado de cabeça para baixo, posição denominada de "frango assado", uma das formas de tortura mais populares nas delegacias brasileiras da época.

Passados cinco minutos, abaixaram a barra e deitaram o rapaz no chão. Hulk se aproximou com voz paternal:

— Tem quinze minutos para pensar na vida, meu filho. Daqui a pouco eu volto, para te pendurar por mais dez, contra minha vontade. Não seria mais inteligente de sua parte reconsiderar?

Deixou-o sob a vigilância do colega e saiu da sala. Estava no telefone avisando a esposa de que chegaria mais tarde por necessidade de serviço, quando um funcionário entrou aflito:

— Um preso está se enforcando no segundo andar.

Largou o telefone e subiu correndo. No xadrez indicado, um rapaz bem jovem tinha pendurado na grade da janela uma corda improvisada com arame e tiras de cobertor e enlaçara o pescoço, porém titubeava para encolher as pernas e deixar o peso do corpo cair no laço fatal.

Ele conhecia o moço, era o mesmo que dias antes tivera um ataque de pânico na cela que dividia com mais oito. Como havia um xadrez pequeno momentaneamente vago, ocorrência rara no Hipódromo, transferiu-o para lá, imaginando que as crises de desespero acontecessem por causa do confinamento em espaço tão exíguo. A providência tomada deixou-o com remorso:

— É de bem-intencionados assim que o inferno anda cheio, pensei naquela hora. Melhor ter ataque no meio dos outros do que morrer enforcado, sozinho.

Perguntou a idade do suicida:

— Dezenove.

— Não vai fazer isso de jeito nenhum, meu filho. Mal começou a vida e já quer acabar com ela? Hoje você está preso, mas amanhã volta para a rua, para a família. Já imaginou a dor da sua mãe? Larga desse laço pelo amor de Deus, não faz isso comigo.

O rapaz ficou parado com a corda no pescoço e os olhos fixos na figura negra de olhos arregalados, do lado de fora, que alternava o tom persuasivo da fala dirigida a ele com os berros na direção da galeria para que lhe trouxessem a chave do xadrez, providência que havia deixado de tomar ao subir correndo.

Hulk enfiou o braço entre as grades:

— Pega na minha mão, meu filho. Agarra firme, ninguém vai te fazer mal. Vou te ajudar, vou falar com o juiz, não vou deixar você sozinho de jeito nenhum, dou minha palavra.

Ficou com a mão estendida até o outro segurá-la, timidamente, sem tirar a corda do pescoço, de modo que não pôde puxá-lo para junto das grades como pretendia e assim livrá-lo do risco de enforcamento.

E nada da chave:

— É todo mundo surdo aí embaixo? Eu aqui nesse sufoco. Traz a porra da chave, caralho.

Ainda segurando a mão do suicida, repetiu palavras de conforto e insistiu no quanto a mãe sofreria se o perdesse.

Quando, finalmente, o molho de chaves chegou e a porta

foi aberta, Hulk tirou o laço do pescoço do rapaz e lhe deu um abraço forte. Estava tão emocionado que começou a chorar. Choraram os dois.

Mais calmos, desceram até a copa dos funcionários, o agente com a mão no ombro do detento. Hulk pediu que um colega servisse pão com manteiga e uma xícara de café com leite:

— Senta e toma teu café enquanto eu vou resolver um probleminha e volto.

Na sala do interrogatório, o suposto dono do revólver ainda estava no chão com as mãos atadas, quando Hulk entrou:

— Deu sorte, malandro, quase meia hora de descanso. Prefere falar ou ver o mundo de cabeça para baixo? Agora são dez minutos.

Bem Nutrido

No passado, não havia curso de treinamento para os agentes penitenciários. Os candidatos com boas notas nas provas escrita e oral que passassem pelo exame físico eram escalados para exercer suas funções em contato direto com os presos já no primeiro dia de trabalho. Cada um que aprendesse por conta própria.

Trinta e dois anos atrás, Bem Nutrido recebeu a notícia de que tinha sido aprovado nos exames e que deveria se apresentar às oito horas da manhã seguinte, na Casa de Detenção, local em que jamais havia imaginado um dia pôr os pés.

— Nem passava pela minha cabeça. Quando o ônibus vinha pela avenida Cruzeiro do Sul, eu virava para o outro lado, só para não ver as janelas com aqueles vagabundos atrás das grades.

Acabara de ser demitido da loja de autopeças na Duque de Caxias, quando fez a inscrição no concurso para agente penitenciário. Não que houvesse descoberto alguma vocação repentina para o cargo, estava interessado somente na estabilidade do funcionalismo público; tinha mulher, filhos e mãe inválida para sustentar.

Caía uma garoa fina quando se apresentou ao diretor, que nem lhe disse bom-dia; limitou-se a medi-lo dos pés à cabeça e a ordenar ao assessor que o acompanhava:

— Esse parece bem nutrido, manda para o período da noite, no quinto andar do pavilhão Cinco.

Funcionário nenhum queria trabalhar num ambiente daqueles. O quinto andar do Cinco estava dividido em três setores: o Amarelo, o Amarelinho e a Psiquiatria.

A ala do Amarelo era ocupada pelos condenados à morte, prisioneiros que de alguma forma haviam infringido as leis draconianas do mundo do crime: delatores, dependentes de droga endividados, ladrões que fugiram com o produto do roubo sem dividi-lo com os comparsas, estupradores, traficantes que se apropriaram da droga alheia, conquistadores que se tornaram amantes de mulheres com maridos ou namorados presos. Passavam dia e noite trancados com cinco ou seis ocupantes num espaço em que mal caberiam dois, enquanto aguardavam transferência para presídios nos quais não tivessem inimigos, providência que podia levar meses, anos ou não chegar a tempo de encontrá-los com vida.

O Amarelinho albergava aqueles condenados ao ostracismo por haver cometido faltas que a bandidagem considerava inaceitáveis porém menos graves: prometer matar alguém e não cumprir, desobedecer às ordens dos líderes do pavilhão, cruzar na galeria com a mulher do próximo em dia de visita sem olhar para o lado oposto, andar no meio das visitantes com o segundo botão mais alto da camisa desabotoado, perturbar o sono dos companheiros, permanecer na galeria enquanto o pessoal da alimentação entrava com os carrinhos para servir a boia, acovardar-se quando desafiado por um desafeto. Também passavam os dias na tranca, mas, como não corriam risco de morte, desfrutavam do privilégio de juntar-se aos demais habitantes do pavilhão para receber visitas aos domingos e do conforto do banho de sol exclusivo todas as manhãs de quarta-feira, enquanto os outros xadrezes permaneciam trancados para evitar acidentes.

Na Psiquiatria estavam os que ganhavam o rótulo de "doentes mentais". Sem nenhuma avaliação psiquiátrica digna desse nome, recebiam no prontuário o carimbo "DM" os portadores de demências variadas, retardos mentais, tendências suicidas, síndrome do pânico, distúrbios obsessivo-compulsivos, os psicopatas, os esquizofrênicos em surto, os dependentes com cérebros consumidos pela droga e os desajustados incapazes de se adaptar à convivência em grupo ou de suportar as agruras do cárcere. Penavam em xadrezes lotados, nas piores condições de higiene, à espera de uma vaga no Juqueri ou em algum centro psiquiátrico que os aceitasse, eventos de ocorrência aleatória.

Conheci esses setores em minha primeira visita ao presídio, guiada por Florisval, na época diretor de Disciplina. Foi num domingo do mês de maio de 1989, imediatamente antes de iniciar um inquérito epidemiológico sobre a prevalência do HIV na população da Casa, pesquisa que abriu caminho para o trabalho voluntário que faço até hoje em cadeias.

Com a intenção — como confessaria mais tarde — de testar os limites do médico curioso que se propunha a levantar os números da epidemia entre os detentos, Florisval abriu algumas celas para que eu pudesse observar as condições internas e conversar com seus ocupantes. A experiência foi inesquecível.

Passados 23 anos, ainda me lembro do impacto das imagens dos xadrezes do Amarelo, com oito e até dez homens jogados sobre pedaços de espuma de borracha no chão, sem fazer nada, embaçados por uma nuvem de fumaça de cigarro, com os parcos pertences em sacos plásticos pendurados em pregos. As manchas enfileiradas que as cabeças dos presos deixavam ao encostar na parede. Alguns, apelidados de morcegos, instalavam redes que lhes permitiam pairar acima dos demais.

Quando quis saber se não havia lugar mais decente para trancar aqueles homens, o diretor de Disciplina mandou abrir uma das portas e perguntou:

— Se alguém quiser mudar para um dos pavilhões, pode sair.

Ninguém se moveu. Um personagem felliniano, bem alto e magro, sem dentes na frente, com orelhas de abano e os olhos assimétricos, pediu com voz rouca:

— Faz uma força, seu Florisval, arranja um bonde para outra cadeia. Ói o esgano que nós estamos.

Nas celas dos DMs o ambiente era ainda mais desolador. Antes de abrir a primeira delas, o diretor de Segurança recomendou que eu me afastasse da porta para evitar que o bafo quente e azedo de seu interior impregnasse minha roupa, medida de pouca serventia, porque fiquei para sempre com a memória daquele odor ácido, úmido, espesso e pegajoso. Espremidos nos xadrezes, alguns presos falavam sozinhos, enquanto outros davam berros repetidos em intervalos regulares, choravam agachados nos cantos, andavam nus em pequenos círculos, vestiam frangalhos molhados de urina e dormiam no chão sob o efeito dos medicamentos psiquiátricos receitados sem critério. Nunca havia imaginado que a condição humana pudesse ser degradada a esse nível.

Anos mais tarde, os DMs foram transferidos para o pavilhão Quatro, em condições mais decentes, um só em cada cela, mas a assistência especializada continuou precária. Todos recebiam praticamente os mesmos remédios, administrados por um preso que fazia o papel de enfermeiro. Entre os habitantes do andar intrometiam-se bandidos que fingiam transtornos psiquiátricos para fugir de dívidas e de inimigos em seus pavilhões de origem, em vez de ir para o Amarelo, situação considerada humilhante por todos.

O Amarelo permaneceu como Seguro até a implosão do presídio, em 2002. Passei muitos anos atendendo os presos do setor, trancado com eles por horas consecutivas, auxiliado pelo trabalho voluntário do inesquecível Paulo Preto, auxiliar de enfermagem do Hospital Sírio-Libanês, já falecido, e por um preso que fazia as vezes de enfermeiro, um nordestino estrábico educado e respeitoso que havia atacado sexualmente duas enteadas — razão pela qual morava no Amarelo —, além de ter decepado o braço de um desafeto que tentou esfaqueá-lo.

Os funcionários fugiam do Amarelo como o diabo da cruz, porque os que ali cumpriam pena, no desespero, volta e meia agarravam um deles como refém para exigir a transferência que não conseguiam obter com boas maneiras. O fato de Paulo Preto e eu prestarmos atendimento no setor, sozinhos no meio deles, com o cadeado da porta de entrada fechado até terminarmos as consultas, contribuiu decisivamente para que impuséssemos respeito entre os funcionários e a massa carcerária.

Quando Bem Nutrido se apresentou no primeiro dia de trabalho, foi levado à presença do chefe do quinto andar, funcionário mais antigo que gozava de boa reputação entre os colegas, designado para aquela ala como punição depois de um desentendimento com o diretor-geral. As instruções que recebeu não podiam ser mais simples:

— Você pega o molho de chaves, vai virando de uma em uma e trancando. Na hora de abrir, a mesma coisa no sentido inverso.

— Falei: "Deixa comigo, o serviço é só esse?".

Era, porque a rotina ficava por conta dos próprios presos, comandados por três deles: Nardo coordenava o Amarelinho, Dilmo a Psiquiatria, e Felizardo o Amarelo.

O principiante teve o bom senso de aproximar-se desses coordenadores, por uma razão prática:

— Eles é que sabiam como proceder.

Explicaram que deveria desconfiar de tudo e de todos; ao

ouvir uma história, partir do princípio de que poderia se tratar de mentira, principalmente quando tivesse ares de verdade; na hipótese de um chamado para socorrer alguém que passava mal num xadrez, jamais abri-lo nem colocar o rosto na frente do guichê sem antes convocar um dos três para avaliar a gravidade da situação. Naquele ambiente havia que endurecer o coração, não cabiam sentimentalismos; embora fosse inevitável sentir pena de alguém, demonstrá-lo seria considerado manifestação de fraqueza, que despertava liberdades e atitudes indesejáveis. Em caso de dúvida ou de desrespeito, que não hesitasse em consultar um dos três presos coordenadores.

No mês seguinte, um funcionário escalado para trabalhar no diurno pediu ao diretor administrativo que o transferisse para o turno da noite, medida tomada sem a precaução de avisar o diretor-geral, homem de formação militar que mandava e desmandava sem admitir desobediência.

Durante o dia, no Cinco trabalhavam em sistema de plantão cerca de cinquenta funcionários, enquanto à noite havia apenas dois, além do recém-transferido. Para punir o diretor administrativo que fizera a mudança em desrespeito à hierarquia, o diretor-geral transferiu os que trabalhavam de dia para a noite e vice-versa. Passaram a dar plantão cinquenta à noite e somente dois durante o dia, para tomar conta de 1500 presos.

Benedito da Lambreta, o funcionário-chefe do pavilhão Cinco, é que ficou em situação delicada. Como encontrar serviço para tanta gente à noite com os presos trancados e controlar o pavilhão inteiro solto no pátio durante o dia com apenas dois funcionários?

Azar de quem ocupava as celas disciplinares do térreo do Cinco, em que cumpriam a pena-castigo os infratores das regras internas de disciplina. Passavam pelo menos trinta dias sem ver a luz do dia em xadrezes apinhados os que haviam desrespeitado funcionários, permanecido fora das celas na hora da tranca, destruído as instalações em momento de fúria, destilado maria-louca — a pinga tradicional das prisões brasileiras —, fabricado facas e estiletes, participado de rebeliões em outros presídios, cavado túneis, extorquido familiares de companheiros, além daqueles recapturados pela polícia depois de fugir do Semiaberto ou de qualquer cadeia.

Na falta de alternativa, Benedito da Lambreta escalava seus subordinados para vasculhar as celas disciplinares com a missão de retirar colchões, toalhas e até pedaços de papelão em que alguém pudesse deitar, porque a ordem era dormir no chão frio, sem o mínimo conforto, regra que valia mesmo para os portadores de tuberculose, naquela época endêmica no presídio. Para combater o ócio, os funcionários chegavam a revistar as celas até três vezes por noite. Para lidar com o tédio da falta do que fazer, inventavam distrações:

— Nós juntávamos dois carrinhos de servir alimentação com cinco ou seis funcionários sentados em cima, e apostávamos corrida pela galeria.

Sem conseguir pegar no sono por causa do barulho, os detentos reclamaram tanto que o chefe decidiu autorizar os funcionários a dormir em turnos durante o plantão. Quinze dias mais tarde, o diretor-geral ordenou que voltassem para o período do diurno.

Recém-admitido, Bem Nutrido ficou surpreso com a violência da repressão:

— Na época da ditadura, chegou um cara que tinha matado o pai para roubar o dinheiro guardado em casa. O diretor disse que um filho desnaturado como aquele merecia sofrer. Deixou o cara sozinho num xadrez, completamente pelado, num mês de junho. De manhã, quando a gente fazia a contagem, encontrava ele num canto, todo encolhido.

Logo nos primeiros dias, ao abrir uma das celas da Psiquiatria, Bem Nutrido teve uma surpresa:

— O preso tinha enchido o cadeado de merda.

Sem saber como agir, pediu a ajuda de Dilmo, o detento encarregado do setor, que não se fez de rogado: retirou o engraçadinho do xadrez e o agrediu com um pedaço de pau até deixá-lo no chão.

Bem Nutrido teve vontade de sumir daquele lugar, arranjar outro emprego num ambiente mais civilizado, em que a maldade não fosse onipresente, mas, com mulher, filhos e a mãe sem saúde, as obrigações falaram mais alto:

— Onde vim parar, maluco! Depois, raciocinei: vou segurar até o fim.

Consciente de seus deveres e respeitador da hierarquia, achou por bem cumprir as ordens dos superiores e seguir à risca as regras locais. Em pouco tempo estava adaptado à nova vida.

Um mês depois da contratação, vinha com um colega mais velho pela galeria, quando Felizardo se aproximou para pedir que dessem um jeito em determinado preso com a alegação de que o mesmo teria folgado:

— A primeira vez a gente nunca esquece. Nós abrimos o xadrez e sentamos o pau. Nem sabíamos o que ele tinha feito, mas, se o Felizardo falou...

Zé Montanha

Anos mais tarde, Bem Nutrido foi nomeado chefe de um dos pavilhões mais movimentados da cadeia, cargo reservado aos mais experientes.

Num fim de ano, recebeu em sua sala a visita de Zé Montanha, um funcionário dedicado, ex-lutador de luta livre em espetáculos de televisão.

— Chefe, dei uma cana num preso que tinha seiscentos contos enrustidos na meia. É o meu salário de cinco meses.

Meteu a mão no bolso e exibiu o bolo de dinheiro.

— Faz a comunicação e manda para a frente — aconselhou Bem Nutrido.

— Tá louco, chefia? Pôr para a frente, porra nenhuma, vamos dividir meio a meio, já troquei uma ideia com o cara. Tá pela hora.

Bem Nutrido perguntou o nome do contraventor. Quando soube que era determinado traficante do terceiro andar, reagiu:

— Você é que tá louco, meu, esse cara é um tremendo mau--caráter, vai direto contar para o diretor de Disciplina.

Zé Montanha justificou:

— Estou construindo um quarto para mim e meus filhos na casa da minha mãe, preciso comprar blocos de cimento. Se der problema, é tudo no meu peito.

— Se você segura, dá aqui os trezentos. Vou passar o Natal sorridente.

No plantão seguinte, ao passar pela Portaria, Bem Nutrido foi avisado de que o diretor de Disciplina estava a sua procura. A casa tinha caído mais cedo do que esperava.

Na sala do diretor, foi informado de que um de seus funcionários havia ficado com o dinheiro da apreensão. Quando o nome de Zé Montanha foi mencionado, reagiu:

— Não pode ser. Eu orientei esse rapaz como um filho, ele não ia trair minha confiança. Vou falar com ele e volto.

Quando o quase filho entrou na sala da chefia do pavilhão, ouviu uma repreensão que nada tinha de paternal:

— Olha aqui, seu filho da puta do caralho, não te avisei?

O rapaz acalmou-o, insistiu que havia prometido assumir toda a responsabilidade e assim o faria.

Bem Nutrido voltou para conversar com o diretor de Disciplina:

— Estou amargurado. Nem posso acreditar. O que vamos fazer com o Zé, esse ingrato?

O diretor hesitou, não é agradável punir colegas. Se levasse o caso adiante, o funcionário poderia ser demitido a bem do serviço público. Além disso, gostava dele, era um bom guarda de presídio que passava por um drama familiar.

A solução foi dada pelo próprio Bem Nutrido:

— Alguma punição tem que ter, senão vira a casa da mãe joana. Por que o senhor não transfere ele para o pavilhão Oito? Ninguém gosta de trabalhar com os reincidentes, no fundão da cadeia.

Quando soube da decisão, Zé Montanha reagiu:
— Porra, no Oito, chefia?
— Meu, em rio de piranha jacaré nada de costas. Deixa passar uns dois meses, na manha, que eu te trago de volta.

Pesados os prós e os contras, Bem Nutrido acha que o incidente foi bem resolvido. No caso de encontrar dinheiro em posse de um preso, o regulamento mandava levar o caso ao diretor-geral, que deveria encaminhá-lo à delegacia mais próxima para lavrar o flagrante de apreensão. Zé Montanha seria forçado a deixar o trabalho, perder horas até prestar depoimento e entregar o dinheiro para ser recolhido ao Tesouro Estadual, destino final altamente improvável, em sua opinião.

Além do mais, o colega atravessava um momento difícil. Havia descoberto que a mulher se encontrava com um vizinho nas noites em que ele trabalhava como segurança de uma empresa. Separado, voltou para a casa da mãe; não tinha condições financeiras para pagar a pensão alimentícia e ainda enfrentar as despesas de outra casa. A ex-mulher ficou com os filhos e com a pensão descontada diretamente na folha de pagamento do ex-marido.

Meses mais tarde, ela apareceu na casa da sogra com as crianças e uma mala de roupas. Queria viver com o namorado, sem a obrigação de cuidar delas. Daí vinha a necessidade da compra dos blocos para construir mais um quarto.

Mesmo livre dos filhos, a ex-mulher continuou a receber o dinheiro. Obrigado a sacar o salário já no dia do pagamento, ele ficava mortificado ao encontrá-la com o namorado na fila do banco para retirar a parte que lhe cabia.

A situação foi resolvida por um advogado, irmão de um funcionário da Penitenciária do Estado, que se dispôs a fazer gratuitamente uma petição para o juiz cassar o direito à pensão alimentícia, uma vez que o pai era o responsável pela guarda das crianças.

Quando a sentença saiu, Zé Montanha fez questão de esperar num bar em frente ao banco a chegada do casal. Quando entraram na fila, ele atravessou a rua e aguardou até o caixa lhes dar a notícia de que nada tinham a receber.

Então, chegou bem perto dos dois:

— Vão se foder, seus vagabundos. Agora, quando quiserem dinheiro, vão ter que trabalhar.

Zé Montanha casou novamente. Num sábado, voltava de um aniversário com a esposa quando a Brasília que dirigia foi abalroada por trás, por um motorista embriagado. A batida foi insignificante, mas, ao descerem para verificar o estrago, o bêbado, talvez assustado com o tamanho do oponente, disparou três tiros em seu peito, sem lhe dar tempo para reagir.

Irani Moreira

Os colegas dizem que Irani tem mais histórias para contar do que duas manicures juntas.

De fato, é um narrador que hipnotiza a audiência. Há muitos anos no Sistema Penitenciário, acumulou vasto repertório das atribulações que fazem a rotina das cadeias. Seus relatos são dramáticos, pontuados por interjeições que servem de pausa para o ouvinte respirar e aguçam a curiosidade a respeito do que está por vir.

Nasceu no bairro de Santana, na zona norte. O pai, português à moda antiga, cuidou de educar os seis filhos para serem honestos, cumpridores da palavra e respeitarem os mais velhos, princípios que ele considera ter seguido pela vida inteira.

Parou de estudar no fim do antigo ginásio e arranjou emprego de cobrador, num tempo em que era possível circular pelo centro da cidade com a pasta cheia de dinheiro. Aos dezoito anos conseguiu comprar uma Kombi para prestar serviços à Sabesp. Trabalhava muito, mas ganhava bem, mais até do que os engenheiros da companhia. No fim dos anos 1970, quando a empresa decidiu terceirizar o serviço de transporte, Gagaguinho, amigo de infância, sugeriu que prestassem concurso para guarda de presídio. Irani tinha trinta anos, um filho e a esposa grávida.

Ele passou nos exames; Gagaguinho foi reprovado na prova oral.

Na Detenção, conheceu seu Valdomiro, funcionário mais velho que trabalhara na Penitenciária do Estado:

— Seu Valdomiro, que Deus o tenha, era um conhecedor, um homem íntegro e honesto pra caramba. Foi meu primeiro professor.

No pavilhão Quatro, ambos trabalhavam sob a chefia de seu Romeu, funcionário intransigente e rigoroso na manutenção da ordem, que todos os dias ao entrar no pavilhão batia a porta com força para anunciar sua chegada. Quando passava, os presos encostavam-se na parede mais próxima com as mãos para trás, imóveis como soldados disciplinados. Ao subir nos andares, se encontrasse uma janela empoeirada passava descompostura nos subalternos e os acusava de não servir sequer para mandar nos detentos. Irani diz que com ele aprendeu a mandar e a obedecer.

Seu Romeu era rigoroso com a disciplina e a ordem. Os xadrezes só eram abertos pela manhã depois de passar por uma inspeção sumária: a cama devia estar arrumada, o chão varrido, o vaso sanitário limpo e os talheres dispostos em ordem sobre a mesa, caso contrário os presos permaneciam trancados o dia inteiro.

Logo nos primeiros dias, o jovem Irani foi informado de que o chefe queria falar com ele. Quando entrou na sala, não havia ninguém, mas ouviu vozes e o barulho de um chuveiro. Já se preparava para ir embora, quando um dos presos que trabalhavam na chefia pôs a cabeça do lado de fora do banheiro:

— É para o senhor esperar. Ele já está saindo do banho.

Quando o chuveiro calou, seu Romeu saiu nu ao lado de dois presos auxiliares, um deles alto e magro e o outro baixo e careca. O mais alto se apressou em cobrir a cadeira com uma toalha para que o chefe sentasse, enquanto o outro se pôs a enxugá-lo vigorosamente da cabeça aos pés.

Gesticulando à italiana, o chefe contou que tinha recebido a denúncia de um plano de fuga pelo quarto andar do pavilhão, área que se encontrava desativada havia meses. Fazia várias suposições e queria que Irani juntasse três colegas para investigar.

Quando o baixo e careca acabou de secar o chefe, que falava sem interrupção, o companheiro postado em frente com uma lata de talco nas mãos pulverizou-lhe as axilas, os vãos dos dedos dos pés, e ergueu-lhe o saco para jogar talco nas dobras das virilhas, sem que seu Romeu se dignasse a facilitar sua tarefa. Encerrada a operação, os dois o ajudaram a vestir o terno, dar o laço na gravata e calçar as meias e os sapatos irrepreensivelmente engraxados.

O grupo de funcionários subiu para abrir e vasculhar as celas fechadas do andar mais alto. Ao entrar na 422, Irani encontrou um molho com meia dúzia de chaves. O que fariam elas num xadrez trancado?

Começou a testá-las em todas as fechaduras daquele andar, até que conseguiu abrir o cadeado da porta de acesso ao telhado do pavilhão. Lá, encontrou barras de ferro, cobertores, pedaços de lona, alicate e chave de parafuso:

— Que bagulho louco é esse?

Com aquele material, alguém tivera a brilhante ideia de construir uma asa-delta para saltar do telhado sobre a muralha, situada num nível mais baixo, plano com pouquíssima chance de dar certo.

— Eu nunca tinha ouvido falar nessa porra de asa. Foi seu Romeu quem matou a charada e pediu para descer os presos do pavilhão.

Quando todos estavam reunidos no pátio, inesperadamente chegou o diretor-geral, a quem eles chamavam de Coronel, policial militar linha-dura que fez fama no Carandiru.

Diante da massa, ele olhou para o relógio:

— Dou três minutos para aparecer o passarinho-voador. Se não se apresentar, vai todo mundo para o castigo.

Deu trabalho encontrar espaço nas celas de castigo dos demais pavilhões para distribuir quase duzentos homens.

No plantão seguinte, seu Valdomiro recebeu um recado para ir conversar com o pessoal de castigo no pavilhão Cinco. Irani foi junto. Um dos transferidos assumia a responsabilidade pela tentativa de fuga.

Todos foram liberados para voltar ao pavilhão de origem, menos o preso-voador, que tomou uma surra antes de ser trancado novamente. Bateram até seu Romeu ter certeza de que ele não assumia a culpa alheia.

A violência assustou Irani:

— Caiu minha ficha: aqui o cara apanha só para provar que não é laranja. Em que lugar vim parar? Mano, o bagulho é muito mais louco do que eu pensava.

Alguns meses mais tarde, ouviu dizer que um colega estava contrabandeando droga para dentro do presídio.

Foi falar com o acusado. O funcionário confirmou a prática e acrescentou que já não tinha como sair do tráfico: assim que chegava no trabalho, o maior traficante do pavilhão vinha atrás dele; na saída, o mesmo assédio.

Irani se dispôs a ajudá-lo: daquele dia em diante entraria e sairia junto com o colega, queria ver quem teria coragem de abordá-lo. No intuito de protegê-lo ainda mais, deu um jeito para que trabalhasse no quinto andar do pavilhão, área mais calma por ser menos acessível.

Quando seu Romeu descobriu que o funcionário era escalado todos os dias para a tranquilidade do quinto, ficou bravo:

— Você está dando cobertura para sem-vergonha. Vai se foder junto com ele. Só quero ver se não sobra pra mim.

Irani explicou que estava tentando corrigir o colega, que morava de aluguel e dependia do emprego para manter os cinco filhos. Entendia as dificuldades financeiras do outro, e sentia pena.

Entraram e saíram juntos durante várias semanas, até que uma das manhãs o protegido não apareceu. Pouco mais tarde, chegou a notícia de que um funcionário tinha rodado com droga na sala de Revista. Irani não se deu o trabalho de perguntar quem fora.

À tarde, aos berros de "cadê o Irani?", seu Romeu quase arrebentou o portão de entrada do pavilhão. Antes que o subalterno pudesse escapar, o chefe já esmurrava a mesa. As condições não estavam propícias para o diálogo:

— Falei que você ia me levar pro buraco, seu filho de uma puta. Por sua causa tive que dar um murro num colega nosso.

Quando seu Romeu chegou à tarde e encontrou o funcionário-traficante detido na sala de Revista, avançou para agredi-lo. O encarregado do setor, responsável pela integridade do detido, tentou contê-lo e levou um soco na cara.

O pai de cinco filhos foi condenado por tráfico. Por ironia do destino, veio cumprir pena no mesmo pavilhão em que havia trabalhado. Irani, entretanto, jamais o perdoou:

— Onde ele entrava eu saía. Nunca mais falei com ele.

A negociação

A ascensão de Irani foi rápida; em poucos anos ele assumiu a chefia do Sete, pavilhão construído tão perto da muralha que se tornou conhecido como a fábrica de túneis da cadeia.

Nós nos conhecemos logo que comecei o atendimento médico na Detenção, mas nos tornamos mais próximos depois de um churrasco em Mauá, organizado pelo Sindicato dos Agentes Penitenciários, ocasião em que formamos uma parceria na mesa de pebolim que se mostrou praticamente imbatível.

Na volta do churrasco, pedi a ele que contasse a história de dois presos que tinham sequestrado funcionários num domingo daquele mês. Ele respondeu que, para entendê-la, era preciso recuar no tempo.

Meses antes, havia chegado no pavilhão um detento transferido de outra cadeia. Era um mulato magro marcado por uma cicatriz na face e uma tatuagem no braço: uma caveira com um punhal fincado na parte mais alta, indicação de que teria matado um PM, credencial que predispõe os policiais militares a vingar-se do assassino de um colega de farda.

A transferência era motivada por um incidente no qual os ocupantes de determinado xadrez tinham agredido um grupo de funcionários que lhes havia frustrado a tentativa de fuga.

Irani leu a ficha que acompanhava o transferido, levantou os olhos em sua direção e disse com voz calma:

— Deu azar, maluco, caiu no lugar errado. Um dos colegas que vocês agrediram trabalhou com a gente. Pior de tudo, deram um pontapé na bunda dele, humilhação que nós não vamos tolerar. Pode se preparar que o bagulho vai ser mais que doido.

O ladrão respondeu com educação:

— Senhor, eu estava na mesma cela, mas fiquei fora dessa fita. Falei até para os companheiros que era contra esse negócio de agredir funcionário.

— Olha aqui, meu, se for mentira, o bagulho vai ser dobrado. Volta e meia o colega que levou o pontapé passa por aqui. O veredito será dele.

De fato, dois ou três dias mais tarde o carcereiro agredido apareceu na cadeia e foi levado para reconhecer o acusado. Na presença dele, sorriu:

— Enquanto os outros vieram para cima de nós, esse ficou quieto, na dele, sem sair do xadrez.

Passaram-se os meses. Num domingo à noite, Irani saiu do banho e vestiu o pijama enquanto aguardava a entrega da pizza com a esposa e os quatro filhos para depois assistir aos gols da rodada, seu programa favorito na TV, quando o telefone tocou: dois funcionários haviam caído reféns no pavilhão Sete.

Chegou na cadeia às nove da noite. Foi direto para a sala da diretoria, em que estavam reunidos o diretor-geral e o dr. Lourival Gomes, na época coordenador dos presídios da capital, mais tarde secretário de Assuntos Penitenciários. Lá, soube que dois presos armados com um revólver e uma faca tinham rendido os funcionários no fim da tarde, na presença das visitas do pavilhão.

— Para ousar uma ação dessas em dia de visita, só podiam estar ameaçados de morte — Irani concluiu.

Pediu para entrar e cuidar pessoalmente da negociação, era o chefe do Sete, ficaria desprestigiado se outro ocupasse seu lugar naquela hora.

Autorizado pelo coordenador, atravessou o portão que dava acesso ao pátio central, entrou no pavilhão e subiu para o terceiro andar. Ao chegar na porta da cela, encontrou os dois funcionários sentados na cama, vestindo as calças cáqui dos presidiários, e os dois rebelados de calças jeans, em pé.

Um deles era justamente aquele da cicatriz e da tatuagem da caveira que viera transferido. O outro encostou o revólver em sua cabeça:

— Olha aqui, chefia, nós tem que ir embora daqui.

Foi como se tivesse falado com um surdo. Irani tinha os olhos fixos nos funcionários:

— Vocês dois, tirem essas calças, já. Que palhaçada é essa?

O ladrão engatilhou a arma. Irani agiu como se estivesse apontada para a parede.

— A cara de vocês é ser ladrão, a nossa é ser funcionário público. Enquanto não destrocarem as calças, não tem conversa comigo.

O da arma ameaçou disparar.

— Atira, que nós três vamos sair daqui no rabecão do IML. Precisa ser muito burro ou gostar de morrer para fazer uma besteira dessas.

O da caveira interveio:

— Vamos fazer o que ele diz, ele não vai desistir.

Trocadas as calças, começou a negociação. Os presos queriam transferência para a cadeia de Parelheiros, único lugar em que se sentiriam seguros. Caso seu Irani concordasse, iriam com ele e os dois reféns sob a mira do revólver até o camburão que os transportaria para lá, ocasião em que entregariam a arma em sua mão.

Estavam de fato desesperados, na sexta-feira haviam chegado no pavilhão Sete mais dezoito presos, entre eles cinco ex-companheiros do Capão Redondo com os quais os dois rebelados não mantinham relações afetuosas.

Os recém-chegados já tinham recebido autorização do encarregado da Faxina, o mandachuva do pavilhão, para executar os dois traidores que no último assalto fugiram com o dinheiro e as armas da quadrilha e ainda deram com a língua nos dentes sobre o paradeiro dos demais, durante o interrogatório no Deic. A única chance de escapar com vida era conseguir transferência para outro presídio com a máxima urgência, o que justificava a ação executada em dia de visita. Se o plano desse errado, morreriam duas vezes: pela traição aos comparsas e pelo desrespeito com os visitantes.

Irani disse que não tinha autorização para decidir, precisava ouvir o coordenador na sala da diretoria, única pessoa com poderes para providenciar a transferência. O da arma ameaçou:

— O senhor vai. Se não voltar, a gente mata esses dois.

Irani se virou para o da tatuagem:

— Muito me admira você, que parece um ladrão mais equilibrado, deixar um revólver na mão de um maluco desses. Meus funcionários estão espalhados pelos andares, com ordem de destrancar todas as celas assim que ouvirem o primeiro tiro. Não vai sobrar vestígio nem da alma de vocês.

Virou de costas e desceu sem esperar resposta.

Na sala da diretoria, dr. Lourival autorizou a transferência, medida que lhe pareceu adequada para preservar a vida dos funcionários e dos dois detentos.

Irani desceu com os colegas-reféns pela galeria escura sob a mira do revólver e da faca. O silêncio era completo. Os presos se acotovelavam para espiar pelo guichê das celas. No pátio interno, ninguém, mas, ao chegar na Portaria, os funcionários de plantão haviam formado um corredor polonês que assustou os sequestradores. Irani tranquilizou-os: tinha empenhado a palavra.

Quando o portão de entrada foi aberto, o camburão que os transportaria já se achava estacionado. Alguns funcionários tentaram se aproximar dos presos para tomar-lhes as armas, mas Irani impediu. Uma vez dentro do camburão, o da tatuagem entregou-lhe a faca e o revólver:

— Conforme prometi para o senhor.

A faca afiada

Quando Gilson era subchefe do pavilhão que Irani dirigia, os dois mantinham na gaveta da escrivaninha uma faca para ser usada como defesa em caso de extrema necessidade. Essa faca era a paixão de outro funcionário, Mavi, que tinha o hábito de amolá-la todos os dias. Segundo ele:
— Dava para fazer a barba com ela.

Um dia, enquanto Irani almoçava na copa dos funcionários, Gilson recebeu na sala da chefia um preso que atendia pela alcunha de Touro, por razões óbvias. Numa pequena distração do subchefe, o ladrão se apropriou da arma e saiu para o pátio.

Gilson interrompeu o almoço:
— Que problema, chefia. O cara veio trocar uma ideia, eu mosquei, ele meteu a mão na gaveta e levou a faca. Agora, está lá, parado no pátio, com ela na mão.

Quando voltaram para o pavilhão, encontraram Touro com a faca junto à porta de entrada. Fiel ao princípio de jamais tomar nenhuma atitude sem antes entender a situação criada, Irani passou por ele como se não o visse, mas, em vez de ir para a sala da chefia, subiu para o segundo andar atrás de Bem-Te-Vi, o preso encarregado da Manutenção:

— Ô meu, que bagulho é esse? O cara ficou louco, mano?

— Louco sou eu, seu Irani, ele tem até as duas horas para pagar uma dívida de droga.

— Então ele tem que pedir transferência pro Seguro ou vai morrer. Não tô nem aí.

Ao voltar para o térreo, encontrou quatro funcionários, um dos quais, de cara redonda e óculos miúdos, membro do Sindicato dos Agentes Penitenciários, falou em nome do grupo:

— Ô chefe, o cara na maior folga com a faca, desmoralizando nós. Vamos catar ele na marra.

— Você tá louco, mano. E se ele dá uma facada na gente? Deixa pra lá. Vou terminar o almoço que larguei pela metade.

Na verdade, pretendia evitar que Touro esfaqueasse um dos agentes com a intenção de ser transferido para uma das celas de castigo, dando a impressão para os companheiros de que saía do pavilhão como bandido corajoso e insubmisso, não como o devedor ameaçado de morte que pedia refúgio no Amarelo, a ala de Seguro do pavilhão Cinco.

Quando retornou ao pavilhão às 13h30, Touro veio com a faca até a sala da chefia:

— Senhor, como vai ficar minha situação?

— Qual situação?

— Preciso ir embora do Sete. O senhor me transfere para o Quatro?

— No Quatro, em cela individual? Perdeu o juízo, malandro? Lá até eu queria morar. Daqui, você só pode ir para o Seguro do Cinco.

Touro saiu enfezado porque nada mais vergonhoso para um ladrão do que ir parar nessa ala do Cinco.

Voltou quando faltavam dez minutos para o prazo fatal:

— Já tô perdendo a paciência. Como vai ficar meu caso?

— Vai ficar o seguinte, mano: você sobe para o andar e mata o cara ou ele te mata. Mando um para a delegacia e outro para o IML.

Touro retornou às 13h55 e jogou a faca em cima da mesa:

— Pode me mandar pro Seguro do Cinco.

— Sobe pra pegar suas coisas.

— Deixa meus bagulhos pra lá, já vai dar duas horas.

O submundo

Histórias como essa ouvi às centenas nas mesas em que o Conselho se reúne. Não fossem os compromissos do dia seguinte, seria capaz de passar a noite escutando uma depois da outra.

Sempre que tentei buscar as razões para explicar por que um homem da minha idade, criado por um pai que deu exemplo e transmitiu aos filhos princípios rígidos de caráter, honestidade e respeito aos direitos do próximo, tem tamanho fascínio pelo mundo do crime, saí de mãos vazias.

Hoje, aceito esse interesse como um traço de personalidade, sem me preocupar com questionamentos morais nem psicanalíticos, mas, aos doze anos de idade, a atração pelo universo dos que viviam em desacordo com os valores que me eram ensinados em casa aumentava em mim a perplexidade que permeia a transição da puberdade para a adolescência.

Nessa época, morávamos num sobrado na Vila Mariana. Meu pai tinha dois empregos, saía cedo, retornava para o almoço rápido e emendava o trabalho até meia-noite. Minha madrasta gostava de dormir às nove da noite, horário em que nos obrigava, meus irmãos e eu, a fazer o mesmo.

Quando eu conseguia juntar o suficiente para o bonde, esperava todos dormirem, levantava da cama, vestia a roupa, escalava o parapeito do terraço do quarto de minha irmã, descia pela grade da janela da sala de visitas e ganhava a rua, ágil e silencioso como um gato.

Pegava o bonde para a cidade. Descia na praça João Mendes, cruzava a praça da Sé, seguia pelas ruas Direita, São Bento e atravessava o viaduto Santa Ifigênia, que me levava ao destino final: a Boca do Lixo.

Não ia atrás de sexo — não tinha dinheiro nem coragem para tanto —, era o ambiente devasso que me atraía: as mulheres de batom vermelho e saia justa encostadas nos postes e nas portas das casas, as idas e vindas da clientela, os cafetões de terno de linho branco, os bares barulhentos e esfumaçados, os boleros e as guarânias dos rádios, o carro de polícia que passava com a sirene ligada, os homens de unha esmaltada em volta das mesas de bilhar, as brigas das mulheres, que se agarravam pelos cabelos até que uma boa alma se dignasse a apartá-las.

Andava pelas calçadas colado ao meio-fio, para guardar distância das profissionais, que me chamavam de nenê e faziam propostas indecorosas. Parava junto às portas dos bares para bisbilhotar os frequentadores, pronto para me afastar feito um raio assim que a primeira pessoa se aproximasse.

O mais estranho é que essa ronda pela moradia do pecado estava longe de ser divertida; pelo contrário, vinha acompanhada de sobressaltos, tensão permanente e de um medo que congelava as mãos e fazia o coração disparar bastava avistar um policial, uma mulher chegar mais perto, um cafetão notar minha existência ou o balconista do bar olhar em minha direção.

Pontualmente às onze horas, eu fazia o caminho de volta,

atormentado e confuso, mas excitado por mergulhar na intimidade de um submundo inacessível a meninos como eu. No dia seguinte, morto de sono no colégio, as imagens da véspera me perseguiam, mas eu não contava nada para ninguém, receoso de que me acusassem de pervertido ou depravado, adjetivos em moda naqueles dias.

É evidente que o trabalho voluntário nos presídios, realizado com disciplina e persistência durante tantos anos, está ligado a esse interesse pela marginalidade que se manifestou já na infância ao assistir aos filmes de cadeia e ao ouvir no rádio os programas policiais. A diferença é que a maturidade e a prática da medicina substituíram a curiosidade infantil e aquela que me levou à Casa de Detenção por formas mais complexas de envolvimento com os personagens condenados a viver atrás das grades e com os homens escalados para impedir que fujam.

No convívio com os carcereiros aprendi a admirar a sagacidade com que analisam os acontecimentos e procuram desvendar as intenções ocultas dos que participam deles.

Na Detenção, esfaquearam um rapaz que por sorte chegou com vida no Hospital do Mandaqui. Irani, na época encarregado da chefia do pavilhão, descobriu que a agressão fora planejada num xadrez do segundo andar, ocupado por dois ladrões da zona sul, e mandou buscá-los:

— Qual de vocês esfaqueou o cara?

O mais velho se voltou para o outro:

— Josué, o homem já tá sabendo da fita. Não adianta esconder.

Irani interrompeu abruptamente:

— Não precisa explicar agora, eu chamo vocês daqui a pouco.

Voltou para a sala da diretoria xingando a própria mãe, enfurecido com a idiotice da pergunta que fizera. Com ela, havia dado chance para que a esperteza do preso mais velho obrigasse o outro a assumir a culpa sozinho. Se Josué acusasse o comparsa, seria considerado dedo-duro, condição que poderia condená-lo à morte. Como corrigir erro tão primário?

Uma hora mais tarde, chamou-os novamente:

— Não me interessa qual de vocês é o culpado. Os dois vão para a cela de castigo.

O mais velho ainda quis argumentar:

— Isso não tá justo. O senhor não quer saber quem foi?

— Quem tomou as facadas é que vai dizer. Se ele morrer, ficam os dois no castigo; se sobreviver, solto quem for inocente.

Três dias mais tarde, foi ao hospital visitar o ferido. O doente estava com uma sonda que entrava pelo nariz, o braço direito preso a dois frascos de soro que gotejavam e o esquerdo algemado na grade da cama. Com voz rouca contou que o ataque fora desfechado pelos dois acusados. E ainda por cima:

— Pelas costas, na maior covardia.

A agudeza de espírito do agente penitenciário não é qualidade inata, mas habilidade construída fragmento por fragmento, a partir da observação atenta das reações individuais e da maneira de proceder da massa carcerária, um ano depois do outro, num microambiente social cujo pano de fundo é a morte, que pode chegar a qualquer momento, de onde você menos espera.

O Empreiteiro de Cristo

Vanico, nordestino alto e forte, tinha fama de carregar uma peixeira na cinta. Por esse motivo, Luizão, diretor de Disciplina, estava de frente para ele, atento aos seus movimentos. À direita de Luizão, o dr. Javert, diretor-geral do presídio; à esquerda, com a camisa desabotoada e para fora da calça, Messias, vulgo "Empreiteiro de Cristo", matador profissional.

Dr. Javert queria saber qual dos dois presos contrabandeava pinga no Instituto Penal Agrícola de São José do Rio Preto, dirigido por ele naquela cidade. Messias, presidiário bem-comportado que ganhara a confiança do diretor, começou a explicar que nada tinha a ver com a contravenção, gesticulando sem parar. Luizão, sem desgrudar os olhos de Vanico para evitar a surpresa da peixeira, não conseguia acompanhar os movimentos do Empreiteiro de Cristo, parado à esquerda, um pouco mais atrás, fora de seu ângulo de visão.

No meio da gesticulação, Messias sacou um punhal. Quando Luizão se deu conta, a lâmina já havia penetrado a parede lateral de seu tórax e, em movimentos de vaivém, perfurara o intestino quatro vezes.

O diretor de Disciplina não caiu. Receberia, então, o golpe de misericórdia, se não tivesse conseguido apará-lo com o antebraço.

Sem dar tempo para nova investida, jogou o corpanzil contra o agressor, que recuou, desequilibrado com o impacto, até se chocar contra a parede, no fundo da sala. Na tentativa de ajudar o auxiliar ferido, dr. Javert puxou Messias pelo braço desarmado, mas escorregou, caiu e arrastou os dois contendores para o chão. Sem afrouxar a mão que empunhava o punhal ensanguentado, Luizão prensou o agressor contra a parede, mas não conseguia tomar-lhe a arma.

Agarrados um ao outro, os três ficaram imobilizados até que o diretor de Disciplina, sentindo-se enfraquecido pela hemorragia, reuniu todas as forças e bateu a mão de Messias contra o solo com tanta violência que o punhal voou longe, para perto de Vanico, que o apanhou do chão e ameaçou investir contra Luizão, agora dominando o Empreiteiro de Cristo com uma "gravata" aplicada com o braço direito.

Ainda caído, dr. Javert berrou para que o nordestino largasse da arma, imediatamente. Vanico hesitou por alguns segundos, antes de sair correndo e abandonar o comparsa espremido contra a parede, quase sufocado pela gravata impiedosa.

Quando os colegas chegaram para ver o que acontecia, Luizão ficou em pé, com a visão turva. Tinha a camisa tingida pelo sangue que escorria até as botas, um corte profundo no braço que aparara o segundo golpe e uma dor aguda no abdômen apunhalado. Apesar da pleura e do diafragma perfurados, as dores no tórax eram ofuscadas pelas das vísceras abdominais.

Respirando com dificuldade, o ferido conseguiu andar até a caminhonete estacionada em frente ao Instituto. Com o dr. Javert ao volante e Messias algemado com as mãos para trás entre os dois, um foi levado à Santa Casa e o outro à delegacia local.

Prestes a perder os sentidos, Luizão ainda subiu as escadas de acesso à sala de atendimento, de onde foi transportado para o centro cirúrgico. Pelo visor, dr. Javert acompanhou a cirurgia até passar mal ao ver os intestinos do amigo serem puxados para fora.

O pós-operatório foi tormentoso, chegaram a chamar um padre para a extrema-unção. Teria morrido nesse período, não fosse a dedicação dos presos que vinham da Colônia Penal para doar-lhe sangue quando surgiram complicações hemorrágicas e cuidar dia e noite para que nada faltasse a ele. Não o deixaram sozinho um minuto durante os trinta dias de internação hospitalar; davam-lhe banho quando a febre não baixava e até comida na boca.

Depois da alta voltou à casa em que morava com a esposa e os filhos, nas dependências do Instituto Agrícola. Ainda em convalescença, dava os primeiros passos pelas redondezas, quando um preso mais velho fez um comentário a respeito do suposto bom comportamento de Messias que lhe serviu de lição pelo resto da vida:

— Chefe, ninguém faz trança em rabo de burro bravo, o que mata é o coice de burro manso.

Luiz Wolfmann, o Luizão

Soube da existência de Luizão pelos jornais que noticiaram as mortes na tentativa de fuga de 1982 na Casa de Detenção, dirigida por ele naquela época. Jamais imaginei que viesse a conhecê-lo, muito menos que jantaríamos num restaurante do centro da cidade dez anos mais tarde, que ainda seríamos amigos fraternos e que me tornaria seu médico.

Convidei-o para jantar no dia em que fomos apresentados, no início de meu trabalho na Detenção, porque, além de me interessar pelas histórias que ele narrava com detalhes precisos e por sua figura lendária, minha intenção era saber se não seria ingenuidade de minha parte expor-me ao desconhecido naquele trabalho voluntário.

Ele procurou me tranquilizar: médicos eram figuras acolhidas com respeito nos presídios. Disse que o único risco era dar de cara com o leão surdinho, e contou a fábula de um pastor de ovelhas dos tempos bíblicos que, no caminho de volta para a aldeia, escapou de ser devorado por leões famintos ao tocar o violino do qual jamais se separava, cena que se repetiu diversas vezes até encontrar o tal surdinho.

Saímos do restaurante quando as cadeiras já subiam nas mesas. É fácil passar horas ouvindo Luizão: sua narrativa tem ritmo, entonações surpreendentes, gírias antigas, frases de efeito e a imprevisibilidade dos thrillers policiais, com a particularidade de que as imagens descrevem acontecimentos vividos por ele e confirmados pelos que estiveram por perto. É inacreditável que tantos fatos extraordinários tenham ocorrido durante a existência de um único homem.

Em 1955, Jânio Quadros criou o Instituto Penal Agrícola de São José do Rio Preto, destinado a acolher detentos de boa conduta que haviam cumprido sentença em regime fechado por tempo suficiente para pleitear a progressão ao terceiro estágio da pena, a ser completado em Institutos Penais Agrícolas, trabalhando na lavoura.

Naquele tempo, nosso sistema penal seguia o modelo irlandês, que dividia a pena em três estágios: isolamento por um período de noventa dias, prisão em regime fechado em convívio com outros presos e progressão para o Semiaberto em Colônia Penal.

Depois de um curso para guarda de presídio, Luizão prestou concurso e foi admitido para as vagas abertas nas três colônias agrícolas existentes. Escolheu a de Rio Preto, porque lá poderia morar com a esposa e os três filhos numa das casas da própria Colônia, situada a sete quilômetros daquela cidade. No início estranhou a vida rural, tinha 24 anos vividos sem sair da rua Francisca Júlia, no bairro de Santana, na zona norte, onde a mãe viúva passava os dias na máquina de costura para manter a família.

Na Colônia foi recebido pelo diretor-geral, dr. Javert, alto e forte, com cara de poucos amigos, muito parecido com o ator Robert Taylor, galã americano que arrancava suspiros das moças nas matinês. Promotor público convencido de que era possível recuperar delinquentes através da disciplina e do trabalho, dr. Javert se dedicava com tanta abnegação aos presidiários sob sua custódia que suas convicções contagiavam os subordinados. Entre eles, Luizão, que o considera seu primeiro e inesquecível professor.

Como parte da estratégia de reintegração à sociedade, alguns presos gozavam as vantagens de morar com a família em casas construídas na área do próprio Instituto. Não havia guardas armados nem paredes altas, apenas uma cerca de arame farpado que não impedia as escapadas noturnas para os bares e a zona de prostituição da cidade, contravenções punidas com a regressão ao sistema fechado na Penitenciária do Estado, em São Paulo. A bebida era um flagelo onipresente. Sob seu efeito os presos deixavam de trabalhar, envolviam-se em brigas e desrespeitavam os funcionários, como aconteceu no entrevero com Vanico e o Empreiteiro de Cristo.

Quando fugiam para beber ou ir à zona, Luizão era escalado para buscá-los, tarefa que muitas vezes o obrigava a fazer uso de sua compleição robusta e das habilidades de boxeador profissional e faixa preta de judô. Como o trabalho na lavoura era especialmente árduo para homens criados na cidade e as fugas e desavenças se repetiam, sua fama de truculento se espalhou pelo Sistema. Ele insiste que não a merecia, que só empregava a força bruta quando não havia outro método para convencer bêbados valentões a retornar à Colônia sabendo que seriam mandados de volta para detrás das grades em São Paulo.

O terceiro estágio da pena, em vez de preparar para o convívio social, oferecendo treinamento na profissão aprendida no regime fechado das penitenciárias, colocava na lavoura homens que voltariam ao asfalto assim que libertados:

— Ensinávamos japonês para o homem morar na Inglaterra — diz ele.

Os detentos não eram os únicos a criar problemas: as mulheres que moravam com eles volta e meia se envolviam em brigas e confusões, com a agravante de que não havia como puni-las, porque eram pessoas em liberdade.

A corrupção dos funcionários comprometia a imagem do Instituto Penal entre a população de Rio Preto, que pressionava as autoridades para fechá-lo. Como diretor substituto, encarregado de assumir o cargo nas ausências e nas férias do chefe, Luizão achava mais razoável quebrar a cara dos colegas desonestos do que enveredar pelos labirintos burocráticos necessários para processá-los.

Uma vez, "enojado com a cambada da chefia de Administração", com um pontapé fez voar em pedaços a porta da sala em que se reuniam, para em seguida referir-se às progenitoras dos presentes sem o devido respeito.

A vingança veio sob a forma de um abaixo-assinado que o chefe da Administração organizou entre os funcionários descontentes. Em anexo, estava a foto da porta destruída. Cientes da roubalheira que infestava o presídio, os superiores de Luizão não o puniram; pelo contrário, assinaram duas Portarias de Elogio e lhe concederam a transferência que solicitara para a Penitenciária de Presidente Venceslau. Havia perdido a motivação para continuar ali.

O pedido de transferência foi a gota d'água resultante do descrédito na ideologia de regeneração, o qual se instalou em seu espírito a partir de uma tragédia provocada por um preso chamado Pereira Lima.

Pereira Lima tinha sido o principal líder de uma das rebeliões mais sangrentas de nossa história: a da Ilha Anchieta, presídio que na década de 1950 albergava os condenados mais perigosos do estado. Em desacordo com o parecer do Instituto de Biotipologia Criminal, contrário à progressão para o terceiro estágio da pena por julgá-lo portador de psicopatia incompatível com o regime Semiaberto, Pereira Lima acabou transferido para a Colônia de Rio Preto. O benefício só foi conseguido graças à interferência pessoal do dr. Javert, empenhado em provar que até um bandido com aquela folha corrida seria passível de regeneração.

Uma noite, Luizão tinha saído em diligência atrás de um preso que fugira, quando recebeu um telefonema quase inaudível em que mal pôde discernir a voz aflita de dona Heloísa, esposa de Javert, falando de um tiroteio ao lado da casa do diretor, no Instituto Agrícola.

Sem entender o que se passava, Luizão e os dois guardas que o acompanhavam dirigiram a caminhonete em alta velocidade até chegar à Colônia. Como estavam desarmados, ele ordenou ao motorista que parasse na casa de Euclides Ferraz, chefe da Seção de Pecuária, para conseguir um revólver. Quando se aproximaram, viram que Euclides saía de marcha a ré com a Rural Willys da seção, tendo dois presos ao lado, no banco da frente. Um deles era Pereira Lima, com um trinta e oito encostado nas costelas do funcionário; o outro, Cassununga, junto à janela, com duas facas nas mãos. Ao vê-los, Euclides gritou por socorro, pisou no breque e fez o veículo morrer.

Luizão pulou da caminhonete e deu a volta por trás da Rural. Seu movimento foi percebido por Cassununga, que saltou com as facas e correu sem sequer fechar a porta, pela qual Luizão entrou tão depressa que Pereira Lima só notou sua presença quando o opositor já lhe passava o braço direito ao redor do pescoço e com a mão esquerda agarrava o revólver e travava o cão com tanta força para impedir o disparo, que o botão de metal lhe penetrou o polegar até o osso.

Euclides tentava desviar a arma de suas costelas, enquanto o inimigo empregava toda a força para destravá-la. O espaço do banco da frente da perua era exíguo e estava quente demais para acomodar três homens com perto de cem quilos em combate de vida ou morte pela posse do trinta e oito. Numa manobra que só pôde atribuir à energia que o pavor da morte mobiliza, Luizão puxou os outros dois com tamanha força, que ambos passaram por cima da alavanca de câmbio e do breque de mão, e caíram embolados do lado de fora.

A interferência de Bigode, funcionário que chegou esbaforido, abriu espaço para o cruzado de direita que Luizão desfechou contra o queixo do presidiário, seguido de um pontapé que o atingiu no olho. De posse do revólver, enfiou o cano na boca de Pereira Lima: queria saber em quem havia atirado. Sem conseguir articular as palavras, o preso negou que tivesse sido ele, providência que lhe salvou a vida naquele instante.

Luizão voltou com a arma para a perua e foi até o local em que se aglomeravam alguns funcionários. De bruços, junto a um jipe estacionado, jazia o dr. Javert, que recebera quatro tiros no peito desferidos por Pereira Lima.

O assassinato do diretor fazia parte de um plano concebido por Cassununga e pelo autor dos disparos, com o objetivo de roubar a caminhonete da diretoria e usá-la num assalto na cidade de Ouro Fino.

Ignorando as advertências de que nada havia a fazer, Luizão colocou o amigo na perua com a ajuda dos presos e levou-o ao hospital mais próximo. Estava morto.

Voltou enlouquecido para acabar o que deixara pela metade. Em vão:

— Já tinham levado aquele filho da puta para a delegacia da cidade.

Solidariedade

A solidariedade entre carcereiros é comparável à dos soldados em guerra. Como no caso dos militares nas trincheiras, a vida do guarda de presídio está nas mãos do companheiro de trabalho: uma palavra mal colocada, um passo em falso, uma simples distração podem comprometer a integridade física de todos.

Cumprir o expediente em contato direto com homens enjaulados não é uma profissão qualquer, exige equilíbrio psicológico, perspicácia, sabedoria, capacidade de discernimento, astúcia e atenção permanente. Como saber quando alguém será executado? Em que momento o estopim dará início à rebelião? De que forma identificar na massa o prisioneiro ensandecido que tentará desfechar a punhalada pelas costas? Mesmo no ônibus de volta para casa ou no passeio com a família, a possibilidade do ataque inesperado está presente.

No passado, quando a indisciplina era punida com castigos físicos, o agente vivia mais inseguro ainda.

— Bastava alguém olhar para a gente no meio da rua para tirar a tranquilidade.

Ao comentar o assassinato de um diretor de presídio que teria esbofeteado um preso, prática considerada altamente ofensiva pela bandidagem, Guilherme Rodrigues, homem experiente, que hoje dirige uma das quatro unidades do Cadeião de Pinheiros, situado na marginal do rio Pinheiros, próximo à saída para a rodovia Castelo Branco, disse:

— Quem bate esquece da fisionomia do outro, quem apanhou na cara vai lembrar pelo resto da vida.

Do novato ao mais experiente, todos convivem com a tensão que se instala ao ouvir o baque de ferro do portão de entrada quando se fecha. A partir dali, deixam de ser cidadãos do mundo livre, passam a conviver com uma comunidade formada por assaltantes, sequestradores, ladrões, estelionatários e assassinos, que preza valores estranhos aos do mundo civilizado e impõe leis draconianas, segundo as quais a vida humana é moeda de pouca valia.

Os marginais que vivem no crime aprendem a desconfiar de tudo e de todos, a lidar com os fatos e não com as palavras, a usar a mentira como estratégia de sobrevivência, a respeitar apenas a lei do cão, a aceitar com naturalidade a traição bem-sucedida, o assassinato de inocentes, o abuso de poder e a destruição do mais fraco, a obter vantagens pessoais em detrimento dos semelhantes e a conviver com execuções sumárias como se fossem medidas necessárias para manter a ordem social.

De alguma forma, o agente penitenciário é contaminado por esses valores. Logo cedo aprende a desacreditar, a suspeitar de complôs existentes ou imaginários, a ir atrás de explicações lógicas para acontecimentos obscuros, a buscar sentido nas atitudes e nos gestos mais insignificantes. Comportam-se como montadores de quebra-cabeças a encaixar as peças que se ajustam, sem perder de vista o formato das que estão soltas.

A desconfiança, como ferramenta de trabalho, é a única forma de antecipar-se às explosões de violência que eclodem com periodicidade aleatória. Ao ser repreendido pelo dr. Carlos Jardim, meu colega de consultório, por não haver tomado os medicamentos prescritos, Luizão, ex-diretor da Penitenciária e da Detenção, justificou-se:

— Doutor Jardim, vivi no meio de bandido a vida inteira; assisti às maiores atrocidades. No fundo, acho que não consigo confiar em mais ninguém, nem nos médicos nem nos remédios.

O agente penitenciário é proibido de sair das dependências da cadeia durante o expediente. No passado, na Penitenciária e na Detenção tinham que permanecer em pé enquanto estivessem de guarda; quando surpreendidos sentados ou encostados na parede, eram repreendidos e ficavam sujeitos a sanções administrativas. Apanhado com as mãos nos bolsos, Rafael, agente aposentado, ainda se lembra da descompostura pública que tomou do Coronel, diretor-geral da Detenção na época dos governos militares:

— Moço, você está aqui para vigiar a entrada do pavilhão. Tenha a compostura de servidor público, você não é um vagabundo de esquina.

É evidente que nas oito horas diárias e nos plantões noturnos em dias alternados, durante anos consecutivos, a aparência do agente em serviço é de tranquilidade absoluta: conversam uns com os outros, riem, contam casos, ajudam os presos a cumprir a rotina de limpeza das galerias, distribuição das refeições e execução de pequenos reparos; comportam-se como se estivessem em ambiente familiar. De um momento para outro, porém, um som inusitado, uma voz mais alta, alguém que passa apressado ou um objeto que cai é o suficiente para se calarem e ficarem alertas, como os cachorros sonolentos que levantam as orelhas ao menor ruído no quintal.

Não é o barulho que os deixa mais estressados, entretanto:

— Quando tudo está em silêncio, alguma tragédia vai acontecer. Vão matar alguém, executar um plano de fuga, começar uma rebelião.

Nessas ocasiões ficam agitados, apreensivos, cochicham entre si em linguagem cifrada, procuram manter-se próximos dos colegas e tomar medidas de precaução. Os que já foram sequestrados ou enfrentaram levantes consideram os momentos que antecedem as explosões de violência mais assustadores do que a crise deflagrada por elas.

Enfrentei algumas dessas horas em que o silêncio é absoluto. Quem disser que não sente medo é mentiroso. A iminência de um ataque é mais assustadora do que seu desfecho, porque as fantasias humanas não reconhecem limites nem respeitam a racionalidade, como descreveu na véspera da sexta cirurgia um paciente que tratei de câncer no início da minha carreira:

— Eu tinha nove anos. Quando as sirenes anunciavam os bombardeios noturnos em Paris, minha mãe e eu descíamos para o abrigo no porão do prédio. Eu me agarrava a ela, chorava e tremia até a explosão da primeira bomba. Ao ouvir o estrondo, o pavor acabava.

Enxergar perigo nas situações corriqueiras não é manifestação de paranoia persecutória, perder a vida no exercício da função faz parte da rotina. Quando se lembram de um colega assassinado, não demonstram revolta, fazem-no com a resignação de quem descreve uma fatalidade à qual todos estão sujeitos:

— Você entra de manhã achando que vai sair, mas certeza quem pode ter?

Uma vez, um grupo de presos sequestrou um caminhão de lixo estacionado na Divineia, o pátio interno da Detenção, para com ele forçar e arrebentar os portões de saída. Atrás do veículo, como os soldados atrás dos tanques nos filmes de guerra, os detentos aproveitariam a oportunidade para ganhar a avenida Cruzeiro do Sul. Ao perceber a manobra, seu Zezinho, funcionário de cabelos brancos tão zeloso quanto cordial, que guardava o primeiro dos portões, apressou-se em passar o cadeado entre as grades para impedir a passagem. Foi esmagado contra a parede.

O caminhão ainda conseguiu arrebentar o portão seguinte, antes de entalar no portão de entrada, de ferro maciço. Seus ocupantes foram metralhados.

A lembrança de casos como esse explica os rituais dos funcionários ao chegar na cadeia. É comum persignarem-se na Portaria, jamais entrar com o pé esquerdo, ir direto tocar o manto azul da imagem de Nossa Senhora Aparecida, figura obrigatória nos nichos das paredes de entrada dos pavilhões. É curioso ver homens que dominaram com as mãos inimigos armados, corpulentos, capazes de dialogar com autoridade sob a ameaça de facas e estiletes, dar um beijinho na ponta dos dedos que tocaram o manto da santa.

É pouco provável que em outras cadeias a generosidade de pôr a vida em risco para salvar a do companheiro tenha sido manifestada em tantas ocasiões quanto na Penitenciária do Estado e no Carandiru. Bastava um funcionário ser ameaçado de morte ou cair nas mãos de presos amotinados para todos correrem em seu socorro. Não lhes interessava em qual dos dois presídios o companheiro trabalhava; muitos voltavam de casa para ajudar.

Mavi, que foi chefe do pavilhão Quatro, do qual fazia parte a enfermaria onde atendíamos os internados com aids e tuberculose no auge da epidemia, fase em que ocorriam três ou quatro mortes por semana, fala com saudades daquele tempo:

— Não era como hoje, que o funcionário corre do tumulto. No dia a dia a gente podia se desentender, falar mal do outro, não ir com a cara dele, mas na hora do perigo chegávamos juntos. Éramos nós na fita, para o que Deus desse e o diabo mandasse.

As provações diabólicas muitas vezes chegam sob a forma de um revólver. Nada depõe tanto contra o agente penitenciário como contrabandear uma arma de fogo para dentro da cadeia. Vi um funcionário acusado desse tipo de contravenção ser espancado pelos colegas com a justificativa de que:

— Colocam em perigo a vida de todos. São traidores que não merecem a menor consideração.

Viver em estado de alerta cria um clima de estresse generalizado que é inerente à atividade profissional. A necessidade de complementar o salário como segurança de lojas, supermercados, casas lotéricas, cassinos clandestinos e inferninhos aumenta sobremaneira a carga de trabalho, priva-os do sono regular, do lazer dos dias de folga, afasta-os do lar e do convívio com a família, e dá origem aos desacertos que explicam o grande número de casamentos desfeitos.

Para aliviar as tensões causadas pelo risco de perder a vida no trabalho, pela dificuldade crônica de equilibrar o orçamento doméstico e pelas reclamações da esposa carente de atenção, o agente penitenciário conta com duas válvulas de escape: a mulher e a cachaça.

A mulher

Os horários incertos nas emergências da cadeia e as horas extras nos bicos para aumentar os ganhos fornecem álibis perfeitos para a infidelidade conjugal. Não são raros os carcereiros casados que se envolvem com outras mulheres, com quem estabelecem relações possessivas e duradouras. Homens de formação conservadora como costumam ser, adaptam-se à vida dupla de modo a dividir a presença quase simultânea em duas casas, tarefa extenuante que exige dedicação, virilidade, intimidade com a alma feminina e malabarismos circenses.

As esposas que se cansam deles e da vida que levam, separam-se ou arranjam um amante, comportamento que desmoraliza o marido infiel na vizinhança mas desperta compaixão e solidariedade entre os colegas de trabalho cheios de culpa no cartório. Ao descobrir a existência da outra, as mulheres brigam, armam escândalo, choram e ameaçam expulsá-los de casa. Confrontados com as evidências, eles negam tudo, peremptoriamente:

— Réu confesso, nem sob tortura. Sem admitir o erro, ela sempre ficará na dúvida.

É forte o argumento que apresentam para justificar a negativa:

— E se ela resolver pagar na mesma moeda, só para se vingar? Viu só o que fez a mulher do Mano Gordo?

Mano Gordo era magro como um varapau, consequência de uma cirurgia que o fez perder dois terços do estômago e parte do intestino. Na Penitenciária, diziam que a magreza do corpo lhe era proporcional ao mau humor, à falta de paciência e à agressividade no trato com os presos, traços que contrastavam com a delicadeza sorridente no relacionamento com as mulheres.

Era casado com Ester, mulata corpulenta de temperamento irascível, com quem tinha dois filhos adolescentes. No relacionamento com ela, Mano pisava em ovos para evitar a eclosão das crises de destempero, que alimentavam o falatório da vizinhança.

Para que não testemunhassem a condição humilhante vivida no aconchego do lar, ele jamais convidava os colegas de trabalho para visitá-lo nem ia com a esposa à casa de ninguém. Mesmo sem conhecê-la, entretanto, as más-línguas da cadeia comentavam:

— Aqui, canta de galo, fala grosso, preso nenhum faz graça com ele. Na frente da mulher é um cordeirinho.

Ester tinha uma prima, Emília, casada com um pintor de paredes que era muito trabalhador mas que a maltratava quando chegava bêbado, ocorrência que se repetia com certa regularidade. Nessas ocasiões, ela corria para a casa da prima, refúgio respeitado pelo marido por mais alcoolizado que estivesse, não por medo de Mano Gordo, sempre ausente, mas pela lembrança do golpe que recebera na cabeça com um caibro de madeira apanhado por Ester no quintal, que ele ousara invadir em perseguição à esposa.

Uma noite, ao chegar do trabalho, Mano encontrou Ester aplicando uma bolsa de gelo no rosto inchado de Emília. Ficou revoltado:

— Esse vagabundo nunca mais vai encostar um dedo em você.

O quarto e sala da prima ficava a dois quarteirões. O pintor assistia à TV escarrapachado no sofá, com uma cerveja na mão. Mano chutou a mão que segurava a lata, puxou o revólver e foi direto ao assunto:

— Olha aqui, seu pau-d'água covarde filho de uma puta, se encostar um dedo nela mais uma vez, vou estourar teus miolos.

Para dar mais ênfase à ameaça, introduziu-lhe o cano da arma goela abaixo, até fazê-lo vomitar.

Dois meses depois desse episódio, Emília diria que o marido tinha se transformado; continuava a beber, mas era uma seda ao chegar da rua. Estava muito agradecida, só Deus para pagar o bem que o primo fizera.

Mano não desprezava a retribuição divina, mas preferia colher neste mundo as dádivas da gratidão da prima. De soslaio, começou a flertar com a moça.

Como o contato entre os dois sempre acontecia com Ester por perto, o risco era imenso. A proximidade do perigo não o amedrontava, pelo contrário, mais lhe acirrava o desejo.

Num dia de chuva, ao sair da cadeia no fim do expediente, Mano tomou um susto: a prima o aguardava junto à Portaria:

— Estava de capa e guarda-chuva, com o cabelo molhado, sorrindo na minha direção. Fiquei arrepiado.

Começaram a se encontrar numa kitchenette da Baixada do Glicério, emprestada por um ex-detento que Mano salvara da morte nas mãos dos companheiros do pavilhão, no decorrer de um entrevero no qual o rapaz havia sido injustamente acusado de delatar a presença de uma advogada que passara três dias escondida na cela do namorado, depois de visitá-lo num domingo.

Os encontros amorosos aconteciam duas vezes por semana, rigorosamente às seis da manhã, horário insuspeito em que o dono do apartamento saía para trabalhar. Passavam uma hora e meia juntos, no máximo, para não se atrasarem nos empregos: o dele num presídio de Guarulhos, o dela numa loja de brinquedos na ladeira Porto Geral.

Mantiveram essa rotina romântica em segredo durante dois anos, até Emília desabafar com uma amiga de infância, criada na mesma rua que ela. Confidenciou que estava apaixonada, mas que não era feliz, vivia martirizada por trair a confiança da prima que tanto a ajudara.

A amiga íntima aconselhou-a a lutar pela felicidade que não encontrara no casamento com o pintor, mas escondeu que também atravessava um momento delicado: havia descoberto que o marido era infiel.

Dias mais tarde, a amiga viu Ester na feira carregando duas sacolas pesadas e se ofereceu para ajudá-la.

À noite, quando Mano voltou do trabalho, encontrou a esposa sentada na poltrona da sala, em silêncio, com a luz apagada. Perguntou pelas crianças, ela respondeu que tinham ido dormir na casa da tia, para que os dois pudessem conversar a sós.

Com a maior tranquilidade do mundo, disse que estava a par de tudo e que se separariam, mas que não guardaria mágoas nem causaria problemas desde que ele confirmasse a história.

Mano considerou a oportunidade perfeita para pôr um fim à vida que levava ao lado da mulher briguenta. Não suportava mais o mau gênio e a gritaria diária:

— A seu lado eu conheci o inferno. Aqui em casa até o cachorro manda mais e recebe mais carinho do que eu. Você queria o quê?

— Com tanta mulher no mundo, por que justamente a minha prima?

— Porque ela é bonitinha, carente e estava mais à mão.

Mais tarde, os amigos reconheceriam que ele foi imprudente ao cutucar a onça com vara tão curta. Ester enfiou a mão embaixo da poltrona, agarrou a faca e pulou em cima dele.

Foram duas facadas no abdômen.

Ficou quinze dias internado no Hospital do Servidor, perdeu mais de um metro de intestino, mas não denunciou a mãe de seus filhos: inventou que o ferimento resultara de uma tentativa de assalto na porta de casa.

Quando recebeu alta, foi morar com uma irmã. Não voltou para a companhia de Ester nem casou com Emília:

— Resolvi dar um tempo com as mulheres.

Mas o pior, dizem os colegas da cadeia, foi que:

— A ex-mulher não ficou contente. Começou a dar para todos os amigos dele.

Shirley, o estelionatário e seu Silva

Seu Silva era um carcereiro circunspecto que não dava pretexto para intimidades. De sua vida os colegas sabiam que era casado com dona Esmeralda, tinha uma filha na faculdade, e nada mais.

Uma tarde, ele apareceu na chefia do pavilhão Sete para pedir um favor:

— Vocês têm um rapaz preso por estelionato, casado com uma senhora que me pediu ajuda. Diz que o marido não é do crime. Dá para fazer alguma coisa por ele?

Vilmário, funcionário do Sete, que admirava a retidão de caráter e a carreira exemplar de seu Silva, respondeu que poderiam colocá-lo na copa dos funcionários, posto disputado por dar acesso aos alimentos e à boa vontade dos funcionários para abreviar a estadia atrás das grades.

Durante as visitas do domingo seguinte, Vilmário encontrou o estelionatário conversando com a mulher no pátio do pavilhão:

— Senhora, porra nenhuma. Era uma loira gostosa, com uns peitos enormes e uma bunda monumental.

Um companheiro de plantão comentou:

— Vilmário, seu Silva está comendo essa mulher e deu um chapéu em você com a história do marido.

Fosse qualquer outro, Vilmário se renderia à evidência, mas duvidou no caso de seu Silva, homem de princípios morais rígidos, que em tantos anos de trabalho jamais tivera um deslize. Justamente ele cometeria o erro primário de envolver-se com mulher de preso?

Ele não sabia que seu Silva estava prestes a viver um drama. A mulher do estelionatário se chamava Shirley, garota de programa que morava com o amante havia menos de seis meses, embora dissesse para o carcereiro que era secretária de uma firma e que estavam casados fazia cinco anos.

Depois do contato inicial com seu Silva, intermediado por uma conhecida de ambos, Shirley procurou-o na fábrica de tecidos em que ele exercia o cargo de chefe de segurança. Trazia uma camisa de presente, em agradecimento à ajuda prestada ao marido.

Pela duração da conversa e pelo número de vezes que ela tocou em seu braço, seu Silva houve por bem ficar na defensiva, desconfiado de que a moça não estava interessada apenas no destino do consorte.

A essa visita à fábrica seguiram-se outras, nas quais ela nem tocava no nome do marido. Nos dias em que não aparecia, telefonava para a sala dele. Por trás, a turma da segurança fazia piada e comentários maldosos.

Ele chegou a pedir que ela não ligasse nem aparecesse mais, não estava certo aquele relacionamento entre um guarda de presídio e a esposa de um detento. Mas deve tê-lo feito sem convicção; o interesse de uma jovem sedutora como aquela havia despertado nele uma jovialidade adormecida desde os tempos de solteiro.

Uma noite ela veio de cabelo solto e saia curta. Contou que tinha rompido com o estelionatário para viver um grande amor com seu Silva, o homem mais íntegro e bondoso que conhecera desde a morte do pai.

Assim que Shirley foi embora, o subchefe de segurança não se conteve:

— Chefe, desculpe a petulância, mas o senhor devia comer essa mulher de uma vez. A vida é uma só.

A vida é uma só. A frase martelou a cabeça de seu Silva por mais de uma semana. Passava os dias atormentado:

— Aos 55 anos, tinha cabimento me meter num beó desses? Estava na cara que ia terminar mal. Mesmo assim, fraquejei: fui com ela para o motel.

No dia seguinte, foi chamado na portaria da cadeia. Ela estava à espera.

— Fiquei bravo. Como ela tinha coragem de aparecer por lá?

Shirley se desculpou, mas não podia conter seus sentimentos depois da noite maravilhosa que haviam passado. Zangado, ele explicou que ir à cadeia não era o mesmo que visitá-lo na fábrica. Poderia prejudicá-lo.

Na noite seguinte, ela apareceu na fábrica. Seu Silva pediu para o porteiro dizer que estava em reunião, sem possibilidade de sair.

Quando o turno terminou, às seis da manhã, ele pegou o fusca no estacionamento dos funcionários, com a intenção de ir para a cadeia. Ao cruzar os portões da fábrica, no entanto, foi avisado pelo porteiro de que uma moça o esperava desde a noite anterior.

Seu Silva ficou assustado:

— Que loucura era aquela? Passar a noite ali? Senti que aquela mulher não era normal, que ia me perseguir, sabe lá Deus com que intenção.

Deixou que ela entrasse no carro, para explicar-lhe que tinha família, uma carreira no funcionalismo e um passado irrepreensível. Não estava disposto a abrir mão de tudo o que conseguira, por uma simples aventura. Uma noite na cama não dava a ela o direito de andar atrás dele. Pediu por favor que nunca mais o procurasse.

— Ela caiu num choro que não acabava mais. Depois pegou na minha mão, falou que estava apaixonada e que não descansaria enquanto eu não fosse dela. Minha vida virou um inferno.

Shirley aparecia, nos momentos mais inesperados, na fábrica, na cadeia, na esquina da casa dele. Nas poucas noites de folga que passava em casa, o telefone não dava sossego; quando atendiam, emudecia. Todas as vezes que ele se cansava de fugir e tentava convencê-la a acabar com aquele assédio, ela ameaçava contar tudo para a esposa, a filha e para o diretor-geral da Penitenciária. Ele ficaria desmoralizado em casa e no trabalho.

Uma noite, assistia à televisão com a esposa enquanto a filha conversava no telefone. Quando a menina desligou, a mãe perguntou com quem tinha falado por mais de quarenta minutos:

— Com a Shirley, uma colega que acabou de entrar no curso de inglês.

Seu Silva perguntou como era ela. O perigo chegava perto da filha.

— Perdi a cabeça. Pensei em dar cabo da vida dela, antes que destruísse a minha. Um tiro só e todos os problemas estariam resolvidos.

Foi salvo por Vilmário, que o acaso fez encontrar na saída da cadeia. Impressionado com o semblante carregado do colega, Vilmário perguntou o que havia e ofereceu ajuda. Seu Silva convidou-o para um café no bar.

O amigo escutou a história inteira. Quis saber quantas vezes estiveram no motel. Ao ser informado de que tinha sido apenas uma, concluiu:

— O bagulho é trágico.

Quando seu Silva revelou estar prestes a cometer um desatino, o companheiro interrompeu:

— E se der errado? Um homem do seu calibre passar para o lado de lá?

Em seguida fez uma análise da situação:

— Qual é a força dessa maluca? É contar para sua família e arruinar sua reputação na cadeia. Se o senhor tomar a iniciativa de admitir o erro para o diretor-geral e para a sua esposa, acabou a chantagem.

Seu Silva resolveu começar pela tarefa menos espinhosa. Pediu para ficar a sós com o diretor-geral e revelou o que acontecia.

O diretor foi solidário:

— Você errou duas vezes: não podia ter se envolvido com uma mulher dessas e muito menos enfrentar essa barra sozinho.

Levou três dias para ter coragem de falar com dona Esmeralda. Morto de vergonha, descreveu a trama em que estava envolvido. Quando terminou, ela estava serena:

— Você já pagou caro pela besteira que fez. Sou sua mulher, nesta hora estou do seu lado. Quando tudo acabar, veremos como as coisas ficam entre nós. Agora, vamos à delegacia dar queixa dessa mulher.

Seu Silva insistiu em ir sozinho, o problema era dele, ficaria muito envergonhado na presença da esposa, mas dona Esmeralda não arredou pé.

Foram a uma delegacia dirigida por um amigo do diretor-geral da Penitenciária. O escrivão registrou a queixa e o delegado disse que convocaria a moça para prestar depoimento.

Shirley ainda telefonou duas vezes, antes de parar com a perseguição.

A cachaça

— Mal encosto no balcão, já vem o bem-estar. No primeiro gole de conhaque saio voando do inferno para o paraíso.

Assim descreveu a sensação que lhe trazia o bar no fim do expediente um moreno alto, jovem ainda, que dava plantão no setor do Amarelo com um pedaço de cano nas mãos, para lá e para cá, o tempo todo, dois anos mais tarde afastado para tratamento psiquiátrico no Hospital do Servidor.

As cadeias são ambientes cinzentos, mesmo que não estejam pintadas dessa cor. A presença ostensiva das grades, das trancas e o som de ferro das portas quando se fecham oprimem o espírito de forma tão contundente, que em mais de vinte anos jamais encontrei alguém que dissesse sentir prazer quando entra num presídio. Ao contrário, a sensação de alívio ao cruzar o portão que dá acesso à rua é universal.

O conforto de ficar livre da opressão ao sair não desaparece com a repetição da experiência; ainda hoje o sinto, sensação compartilhada por todos os funcionários que conheço.

É nessa hora, depois do dever cumprido, antes de encarar a condução lotada, os problemas familiares, os apertos financeiros e, muitas vezes, o mau humor da esposa insatisfeita, que o salto para o paraíso no outro lado da rua fica irresistível.

Nesse contexto estão reunidas as condições que os especialistas definem como fatores de risco para o alcoolismo. São tantos os casos de colegas afastados por problemas dessa ordem, que os demais aprenderam a não recriminá-los; aceitam a fragilidade do companheiro como inerente à insalubridade da profissão.

Numa tarde de atendimento no pavilhão Oito, situado nos fundos da Detenção, da porta da enfermaria vi que dois funcionários cruzavam o pátio interno amparando um colega. Um deles, à direita, agarrava-o pela parte de trás do cinto da calça, enquanto, à esquerda, o outro caminhava tão colado a ele que pareciam formar um corpo único. À distância, a impressão era de que amparavam alguém muito doente.

Quando atravessei o pátio para saber do que se tratava e se podia ajudar, foram evasivos: o rapaz que tinham acabado de acomodar num sofá rasgado era vítima de uma pequena indigestão que ficaria curada assim que ele descansasse algumas horas, diagnóstico desmentido pelo cheiro de álcool que exalava dos pulmões do bêbado. Como haviam conseguido passar pelo portão de entrada e pela sala de Revista com o rapaz naquele estado, sem que ninguém os barrasse?

Descontados os casos mais dramáticos de dependência, muitos fazem uso regular do álcool como relaxante e antidepressivo, passo inicial para o consumo compulsivo. Não é que a profissão atraia pessoas com tendência a desenvolver alcoolismo, quase todos eram abstêmios ou bebiam muito pouco antes do emprego na cadeia.

Não são homens de bebidas fracas, cachaça e conhaque são as preferidas; cerveja para eles é quase um refrigerante. Acompanhá-los é tarefa inglória, são resistentes.

Um funcionário daquela época resumiu sua opção pela cachaça:

— O que adianta o cara beber uísque, champanhe, vodca, vinho, bebidas caras, se, quando fica bêbado, todo mundo xinga de pinguço?

Valdemar, ainda solteiro aos 64 anos, quase todos vividos ao lado do irmão mais velho, na companhia de coelhos, patos e outras aves, entre as quais um papagaio que manda as visitas tomar no cu, na mesma casa arborizada em que nasceram no Chora Menino, ao descrever um fim de semana anos atrás disse que tinham esvaziado um garrafão aberto na sexta-feira. Fiquei assustado:

— É demais, Valdemar, são cinco litros de pinga; mais de um litro e meio por dia.

Reagiu quase ofendido:

— Mas não tomei sozinho. Fui eu e o meu irmão.

Meses mais tarde, com o propósito de mostrar que ele estava a caminho da cirrose, convenci-o a colher sangue para as provas de função hepática e pedi que levasse os resultados até meu consultório, para adverti-lo em tom formal. A estratégia foi malsucedida, o fígado estava impecável, nem o mais leve sinal de hepatite alcoólica.

No início dos anos 1990, nas primeiras vezes que me reuni com eles depois do atendimento, fiquei impressionado com a comparação: enquanto eu tomava um copo de cerveja, bebiam uma dose de cachaça. Quando eu parava, ainda pediam a saideira, que geralmente precedia a antepenúltima. Não obstante, o transeunte que os visse a caminho de casa jamais imaginaria quanto haviam bebido.

Resisti por muitos encontros antes de aderir à cachaça, bebida para mim definitivamente ligada ao alcoolismo, preconceito dominante naquele tempo. Iniciei com a timidez das donzelas hesitantes, dando pequenos goles no copo dos companheiros de mesa, prática de principiantes considerada abominável entre apreciadores profissionais. Quando sugeriam que pedisse logo uma dose inteira, eu quase me horrorizava.

Para minha surpresa, quando decidi acompanhá-los verifiquei que bebia até menos do que antes. Eles tinham razão ao dizer:

— Cerveja o cidadão toma um copo atrás do outro, feito guaraná. Cachaça impõe respeito, precisa ir devagar, medir as consequências.

Com regularidade, temos mantido a rotina de nossos encontros a cada duas ou três semanas, quase sempre à noite, em bares e restaurantes de bairro ou do centro antigo de São Paulo. Como os participantes se conhecem desde a época do Carandiru, o prazer que a oportunidade de rever os velhos amigos nos traz explica a assiduidade a essas reuniões, que se repetem há mais de vinte anos.

De minha parte faço qualquer sacrifício para estar presente, gosto de ouvir como enfrentam as adversidades cotidianas, como resolvem os problemas familiares, as histórias que contam, a descrição das situações nas quais correram risco de perder a vida, os comentários sobre os atos de heroísmo e de perversidade que testemunharam. Homens maduros, com muitos anos de profissão, falam com tristeza da decadência do Sistema Penitenciário instalada por ocasião do massacre do pavilhão Nove, marco histórico a partir do qual as facções criminosas adquiriram um poder de mando que eles jamais teriam admitido no tempo em que comandavam os presídios.

Nessas horas que passamos juntos, tento não perder uma frase, um gesto, uma expressão idiomática; procuro aprender o máximo que posso. Não consigo sequer imaginar quem seria hoje sem o privilégio dessa convivência, sem privar da amizade sincera de homens que dão valor à palavra, à companhia dos amigos, à solidariedade, e que viveram aventuras com as quais nem sonha o comum dos mortais. Mergulho integralmente nesse universo, consciente da preciosidade que me é oferecida, esqueço os problemas, as preocupações com os doentes, os desencontros, e me divirto com as gozações mútuas que provocam explosões de riso em série. Existe prazer espiritual comparável ao de chorar de tanto rir?

Sombra

Num feriado combinamos reunir o Conselho num almoço no Feijão de Corda, restaurante nordestino da avenida Cruzeiro do Sul, próximo à estação Santana do metrô. Justamente por causa dos compromissos familiares do fim de semana prolongado, éramos poucos:

Irani, protagonista da batalha do conhaque no pavilhão Sete, 62 anos, casado, pai de quatro filhos, um dos quais faleceu de leucemia aos 27 anos, avô de uma menina que trouxe a alegria de volta para a família, passou os últimos trinta anos em contato direto com a bandidagem, experiência que lhe permitirá contar histórias pelo resto da vida, sempre entremeadas de interjeições que fazem crescer a tensão dos ouvintes nos momentos mais críticos da narrativa.

Mavi, 55 anos, pai de uma enfermeira que trabalha em Lábrea, no Amazonas, cabeça raspada à navalha, voz de cantor de ópera, trinta quilos acima do peso da juventude justificados com a desculpa de haver passado fome na infância — flagelo muito pior do que morrer de ataque cardíaco, em sua filosofia —, trabalhou em diversos pavilhões do Carandiru, de onde foi transferido para a Penitenciária do Estado, e de lá para a função burocrática atual.

Manoel, baiano de 69 anos, casado, sem filhos, recém-aposentado por tempo de serviço, leitor ávido da revista *Seleções*, temperamento circunspecto em contraste com o dos demais, dono de olhar agudo ao analisar pessoas e situações, habilidade desenvolvida na chefia do pavilhão Cinco, que albergava os jurados de morte.

Araújo, 68 anos, jardineiro por diletantismo, casado em segundas núpcias com dona Cida, funcionária do Fórum de Guarulhos, já apresentado no início deste livro como um dos responsáveis por impedir que o massacre do Nove chegasse ao Oito.

Valdemar, funcionário que chefiou o Departamento de Esportes do Carandiru durante muitos anos, organizador de meu trabalho com os presos na Detenção e na Penitenciária, 64 anos, solteirão, barba branca sem aparar e camisa com o segundo botão aberto para expor os colares, os patuás e os santos de sua devoção.

Sombra, 57 anos, casado, pai de três filhos, técnico de som de riso fácil que conheci há mais de dez anos numa gravação para o Ministério da Saúde. Nesse dia, estávamos num momento de silêncio completo no estúdio, prontos para gravar, quando o ouvi sussurrar para o assistente de câmera: "Argemiro, você gosta de veado?". O assistente respondeu que não, e ele resmungou: "Eta, raça desunida". Dias mais tarde, Sombra me pediu para conhecer o Carandiru, e não desgrudou mais da gente. Gozador nato, treinado entre os sambistas da Camisa Verde e Branco, foi aceito pelo grupo como se fosse colega de trabalho.

A conversa começou com Mavi reparando que a barba de Valdemar estava mais crespa; queria saber se havia feito permanente num salão de beleza da rua Voluntários da Pátria. Depois de alguma hesitação, Valdemar descreveu a noite anterior em companhia de um amigo num inferninho da zona norte, que terminou sem que ele lembrasse quem o trouxera para casa e sem que tivesse a menor noção de quem fizera em sua barba as trancinhas tão difíceis de desembaraçar.

Seu Manoel relatou que havia pedido contagem do tempo de serviço para aposentar-se e mudar com a esposa para sua cidade natal na Bahia. Quando perguntei se não estranharia viver num lugar pequeno depois de tantos anos em São Paulo, respondeu que estava cansado da cidade grande, que no interior encontraria paz... Irani o interrompeu:

— Quantos anos você tinha quando chegou da Bahia?

— Quinze.

— Mané, justamente nessa época meu pai aconselhava: "Meu filho, por que você não dá um pulo na Estação do Norte, para comer um baianinho desses que desembarcam em São Paulo?".

— Irani, deixa de ser imbecil.

— Não fica ofendido, meu, não estou afirmando que comi você. Nem sei, foram tantos...

À medida que subia o teor alcoólico do grupo, todos falavam e riam, com exceção de Sombra, sentado à cabeceira da mesa. Araújo foi o primeiro a chamar sua atenção:

— Sombra, que sorumbatismo é esse?

— Deixa pra lá, normal.

— Normal? O normal seu é encher o saco dos outros. Você está mais calado que papagaio novo.

Sombra insistiu que estava bem, apenas um pouco cansado da noite maldormida por causa da gravação de um comercial, mas não convenceu ninguém. Diante das hipóteses mais infames levantadas pelos presentes para explicar a tristeza do companheiro, parte substancial das quais punha em dúvida sua masculinidade, ele preferiu explicar a razão do mutismo:

— A casa caiu. A Vera me mandou embora.

Os comentários foram variados: "Até que enfim"; "Finalmente, uma atitude sensata"; "Mesmo sem saber o motivo, dou razão integral para ela"; "Passou o mico para a frente".

Sombra pediu que não brincassem, estava deprimido. Separar-se da companheira de tantos anos era um drama pessoal que não deveria servir de tema para chacota. A esposa estava decidida, não queria mais vê-lo, que o desavergonhado não se atrevesse a voltar porque daria com a cara na porta, que viesse no dia seguinte buscar a mala com as roupas que ela deixaria no terraço do lado de fora e desaparecesse.

Ele não lhe tirava a razão:

— Tenho sido ingrato com ela. Eu analisei que sou cachorro criado na rua, que não presto, e que talvez seja tarde para me emendar.

Com ar consternado, Araújo avisou que mais um pouco cairia em prantos. Manoel sugeriu que o enxotado passasse a noite na casa de Valdemar, que havia perdido o irmão meses antes. Em tom solidário, Valdemar disse que amigo dele não ficava ao relento, mas que só dispunha da cama de solteiro em que dormia, limitação considerada irrelevante por unanimidade: a previsão era de noite fria.

Quando seu Manoel quis saber o porquê da separação, Sombra explicou que a esposa havia lido uma mensagem que ele recebera no celular, inadvertidamente deixado sobre a mesa da sala.

Com a concordância ruidosa dos demais, Mavi foi enfático:

— Negão, como você dá uma mancada dessas? Que amadorismo. De lobo de esquina virou pequinês de apartamento?

Em tom afetuoso, Irani disse que tinha a solução para as agruras do conquistador trapalhão:

— Toma chumbinho, mas não exagera na dose. Vai parar no Pronto-Socorro do Tatuapé passando mal. Ela vai te visitar cheia de remorsos, chora e te perdoa.

Mavi tinha sugestão melhor. Iria até a casa de Sombra, convidaria a esposa enraivecida para jantar, ofereceria um ombro amigo e a levaria para o motel. Na saída, o marido surpreenderia o casal. O flagrante a deixaria em posição frágil, não teria alternativa senão aceitá-lo de volta.

A consternação do companheiro expulso de casa não sensibilizou os amigos, empenhados em propor soluções mirabolantes para mitigar seu sofrimento. Às tantas, eu me lembrei de perguntar o conteúdo da mensagem-pivô da desavença.

Sombra disse que não vinha ao caso, mas, diante da insistência da plateia, foi forçado a revelar:

— "Bebê, te espero no bar da Chica".

A surpresa despertou a agressividade do grupo:

— Bebê? Um negão desse tamanho?

Araújo foi o único compreensivo:

— É um tipo romântico. Tem um Morumbi cheinho de amor para dar.

Provavelmente com a intenção de aplacar a ira coletiva, o tipo romântico confessou:

— O pior de tudo vocês não sabem: não tive nada com a moça. Foi uma relação platônica.

A reação dos circunstantes foi péssima. Tive a impressão de que iriam linchá-lo. Foi chamado de burro, incompetente, imbecil, laranja, galã de porta de botequim e outros nomes impublicáveis; para eles, amor platônico era coisa de grego que dava a bunda. No fim, Sombra reconheceu com humildade:

— Vocês têm razão. Eu sou muito frenesi e pouco orgasmo.

Agora com mais ênfase, Irani repetiu a sugestão do chumbinho e Mavi a do motel. Araújo o aconselhou a dizer para a esposa que fora apenas mais uma vítima da tríade de condições fatais para o adultério masculino: cara cheia de cerveja, mulher gostosa provocando e amigo safado dando mau conselho.

Pagamos a conta, levantamos e caminhamos para a saída. Antes de atravessarmos a porta, Sombra se dirigiu ao grupo em tom melodramático:

— Vou pedir um favor daqueles que só se pede para os amigos mais queridos: vamos comigo para casa, chegando com vocês ela não terá coragem de me deixar do lado de fora.

O pedido causou revolta: "Amigo querido, eu?"; "Fazer um papel desses, tô fora"; "Eu lá sou consultor sentimental de vagabundo?"; "De onde você tirou que eu sou seu amigo?"; "Negão, pode me mirar, mas me erra". Araújo sugeriu que ele comprasse um galo preto, cinco charutos, tigela com canjica, cachaça e fizesse um despacho de encruzilhada na serra da Cantareira.

No fim prevaleceu a empatia que une os homens, sem distinção de raça ou credo, na hora de socorrer o amigo infiel à esposa.

Sombra mora na Vila Carioca, num sobrado com o terraço da frente cercado por grades altas, como é usual na periferia. Junto à porta de entrada estavam a mala de roupas e a caixa com o equipamento de som usado por ele no trabalho.

A esposa atendeu à campainha. A surpresa em seu rosto na janela foi indisfarçável. Hesitou por alguns segundos, sem graça, até vir para o portão. Cumprimentou todos menos o marido. Entramos pouco à vontade e nos sentamos na sala.

Com ar de criança apanhada em travessura, Sombra se aproximou de mim:

— Doutor, ela respeita muito você. Uma palavra sua pode colocar o trem nos trilhos.

Vera coava o café. Para que ninguém nos ouvisse na sala, encostei a porta da cozinha e disse o que me pareceu menos constrangedor:

— O Sombra pode ter todos os defeitos, mas ele não teve nenhuma intimidade com essa moça. Para nós ele não mentiria.

Ela me olhou de frente:

— Acredito no senhor.

Depois, queixou-se do comportamento do marido. Estava magoada.

Quando voltei para a sala, Irani voltava à carga com a história do envenenamento com chumbinho como estratégia para conseguir o perdão da esposa:

— Vai por mim, maluco, que o bagulho é louco. Já passei por isso e sobrevivi.

Nesse momento alguém deu por falta do Valdemar. Não estava na cozinha nem no quintal; para a rua não poderia ter ido sem passar pelos que estavam na sala. Só se tivesse subido para os quartos. Vera foi ver. Num instante, estávamos todos à procura dele. Mistério.

— Evaporou junto com o álcool — alguém disse.

Fazíamos essas conjecturas quando Mavi gritou do lavabo:

— O que você está fazendo aqui, meu?

Eu o havia procurado no lavabo, mas não olhei atrás da porta, local em que Valdemar se encontrava em pé, mudo, com o olhar no infinito, catatônico. Não foi fácil movê-lo do lugar.

O incidente desanuviou o clima e nos despedimos do casal estremecido. O quase ex-anfitrião veio até a porta para agradecer. Mavi voltou a oferecer seus préstimos:

— Se precisar, estou à disposição, mas não esqueça de surpreender a gente na saída do motel. Não me apareça na entrada.

Sombra disse que não tinha nascido com cabeça para carregar ornamentos. Irani advertiu-o:

— A ética minha é o seguinte: um homem sem chifre é um homem indefeso.

O inferno de Joyce

A Casa de Detenção era um verdadeiro coração de mãe. Funcionava como válvula de escape do Sistema, sempre pronta a dar vazão às tensões provocadas pela superpopulação nos distritos policiais e nas cadeias do interior e da capital. Pelos portões entravam em média quarenta a cinquenta detentos por dia, número em geral maior que o de libertações. Eventualmente, chegavam cem ou mais.

Era só haver rebelião numa delegacia ou em qualquer presídio para os presos serem transferidos para lá, muitas vezes em plena madrugada. Arranjavam-se como podiam na Triagem Um, no térreo do pavilhão Dois, cela de oito metros por quatro, espalhados pelo chão em colchonetes de espuma enrijecidos de tanto uso ou sobre pedaços de papelão surrado.

No dia seguinte eram levados para a Triagem Dois, no terceiro andar, de dimensões mais amplas mas insuficiente para albergar os oitenta homens que para lá eram encaminhados, nos dias de lotação máxima.

Os contraventores que os policiais prendiam nas ruas iam parar na carceragem das delegacias da capital ou nas cadeias do interior, construídas para abrigá-los enquanto prestavam depoimento para instruir a fase inicial do processo. A escassez crônica de vagas nas penitenciárias que deveriam recebê-los, no entanto, tornava prolongada essas estadias temporárias.

Eram lugares insalubres, muitas vezes sem janelas nem instalações sanitárias dignas desse nome, guardados por investigadores e escrivães de polícia sem o menor preparo, boa vontade ou vocação para a carceragem. A falta de sol e de arejamento fazia a festa das sarnas, percevejos, baratas e mosquitos, pragas que infestam os cárceres desde os tempos medievais. O confinamento mal ventilado criava condições ideais para a disseminação da tuberculose, endêmica nas prisões brasileiras desde o Império.

Em *Retrato do artista quando jovem*, James Joyce se refere a um dos mais tenebrosos aspectos do inferno, descrito pelo padre Arnall ao pregar às crianças no colégio: "Meus caros pequenos irmãos em Cristo [...]. O inferno é uma prisão estreita, escura e malcheirosa, a residência de demônios e almas perdidas, no meio de fogo e fumaça... Lá, em virtude do grande número de condenados, os prisioneiros são empilhados em suas celas terríveis, cujas paredes dizem ter 4 mil milhas de espessura: os condenados ficam de tal forma espremidos que [...] não conseguem sequer remover do olho um verme que o aflija".

Não fossem o fogo e a espessura das paredes, a descrição cairia como uma luva para os xadrezes superlotados dos distritos e das cadeias dos anos 1990, situação que ainda persiste em muitas delas. Tantos eram trancafiados nesses cubículos insalubres que não havia espaço para deitar ao mesmo tempo. Conheci celas em que os ocupantes eram forçados a dormir em rodízio: a cada oito horas, um terço dos homens deitava enquanto os demais passavam as dezesseis seguintes em pé, colados uns aos outros, forçadamente quietos para não acordar os companheiros.

Um dos episódios mais infelizes da história das prisões brasileiras ocorreu em fevereiro de 1989, quando houve um início de motim no 42º Distrito Policial, situado no Parque São Lucas, zona leste de São Paulo, local em que estavam encarcerados 63 homens em xadrezes com capacidade para 32. Com o intuito de puni-los e de evitar que os distúrbios prosseguissem, os policiais enjaularam cerca de cinquenta presos numa cela-forte de um metro por três, no interior da qual jogaram gás lacrimogêneo: dezoito homens morreram asfixiados.

Na Detenção dos anos 1970 havia celas de castigo exatamente nessas condições, escuras, com um só vaso sanitário para mais de vinte pessoas. Duas vezes por semana, o carcereiro abria o cadeado para o banho coletivo, oportunidades únicas para esvaziar os intestinos, já que, por medida higiênica adotada pelos próprios presos, o vaso do xadrez só podia ser usado para urinar, ainda assim somente nas trocas de turno, a cada oito horas. Pobre daquele que num aperto fisiológico desrespeitasse essas regras.

No térreo, em frente à gaiola de entrada do pavilhão Quatro, havia uma pequena ala chamada de Masmorra, com acesso fechado por três portões, num dos quais uma placa alertava ser expressamente proibida a entrada de qualquer pessoa não autorizada. Era a área de segurança máxima da Casa, um conjunto de oito xadrezes abafados, que davam para uma galeria mantida na semiescuridão. As janelas das celas permaneciam vedadas por uma chapa de ferro fenestrada para impedir comunicação com a parte externa; a iluminação do interior ficava por conta de uma lâmpada de sessenta velas, muitas vezes queimada. Olhados através dos guichês, os homens pareciam fantasmas escuros envoltos numa bruma espessa de fumaça de cigarro.

Viviam em cada cela quatro ou cinco presidiários marcados

para morrer nas mãos de seus algozes, gente que havia sido condenada por desobediências graves às leis do crime e que não estaria segura nem mesmo no Amarelo.

Na preleção aos pequenos irmãos em Cristo, o padre aborda o tema da eternidade no inferno: "Imaginem uma montanha de areia com um milhão de milhas de altura, indo da Terra até o mais distante dos céus, com um milhão de milhas de largura, estendendo-se até o mais remoto dos lugares, e com um milhão de milhas de espessura... e imaginem que a cada milhão de anos um pássaro muito pequeno venha até ela e carregue em seu bico um minúsculo grão de areia. Quantos milhões e milhões de séculos passarão até que o pássaro leve embora apenas um centímetro quadrado de areia?".

Alguém já disse que "todo problema complexo admite uma solução simples; sempre errada". Lembro-me desse aforismo toda vez que ouço dizer: "homem preso precisa trabalhar" e que "é um absurdo vagabundo comer às custas da sociedade sem dar nada em troca".

Os iluminados que dizem essas obviedades o fazem com o ar de Cristóvão Colombo ao descobrir a América. Nem sequer lhes passa pela cabeça a dúvida mais imediata: alguém poderia ser contra o trabalho nas prisões?

As vantagens são de tal ordem, que jamais conheci no Sistema Penitenciário uma só pessoa que se opusesse à ideia de criar empregos nas cadeias. Do mais humilde funcionário ao presidente da República, todos concordam que trabalhar dá ao sentenciado a possibilidade de aprender uma profissão, de fazer um pecúlio para ajudar a família e facilitar a reinserção na sociedade depois de cumprir a pena, de afastá-lo dos pensamentos nefastos que a ociosidade traz, além de melhorar a autoestima, conferir dignidade e acelerar a passagem das horas.

Tantos são os benefícios que cabe a pergunta: por que o trabalho não é obrigatório nas cadeias?

Por uma razão simples: impossível existir empregados sem empregadores. Todos os diretores de presídio se queixam da dificuldade de conseguir empresas dispostas a montar oficinas nas dependências da cadeia. As poucas que o fazem oferecem trabalhos puramente manuais: costurar bolas de futebol, colocar espirais em cadernos, montar tomadas elétricas, pregar botões, confeccionar pequenas peças de roupa e outras tarefas que não exigem formação técnica. É pouco provável que tais atividades formem profissionais preparados para enfrentar a concorrência no mercado de trabalho. A mesma sociedade que se revolta contra a vida ociosa dos prisioneiros lhes nega a oportunidade de sair da ociosidade.

A situação atual não é muito diferente daquela descrita por Luizão no tempo das Colônias Agrícolas, em que o preso aprendia a carpir café para voltar à cidade quando libertado.

Nas penitenciárias e nas cadeias menores ficam por conta dos presidiários as tarefas de cozinhar, servir a alimentação, varrer e lavar as galerias, auxiliar nas enfermarias, executar reparos e realizar as demais tarefas necessárias para o andamento da rotina. É grande o número de homens e mulheres encarregados dessas funções, disputadas por eles porque, para cada três dias trabalhados, recebem como benefício um dia de redução na pena.

Nos Centros de Detenção Provisória a alta rotatividade dos detentos diminui ainda mais o interesse dos empresários em oferecer-lhes trabalho. Os homens passam o dia a esmo, fumando, deitados nas camas, sentados no chão ou em rodinhas na quadra que separa as duas alas de celas. A falta do que fazer torna os dias intermináveis, como disse Paraná, um matador profissional que conheci no Cadeião de Pinheiros:

— Aqui, a noite é sem fim e o dia tem sessenta horas.

São muitos os que se entregam às drogas para fugir da realidade do cárcere. Fumar maconha faz parte da rotina da maioria, os mais fissurados já acendem o primeiro no café da manhã; os usuários com mais controle fumam para pegar no sono, aliviar as saudades e a angústia, viver com mais ardor as visitas íntimas ou a prática do sexo solitário.

A cocaína, droga de uso compulsivo, que traz prazer intenso para o principiante, cria problemas mais graves para os que caíram na armadilha do uso repetitivo: paranoia persecutória, debacle financeira, perfuração de septo nasal, dores lancinantes nos seios da face. Perdi a conta dos usuários e das usuárias que me pediram ajuda para escapar desse inferno.

O crack, praga endêmica de norte a sul do país, que infestava as cadeias nos anos 1990, foi banido do Sistema Penitenciário de São Paulo por ordem da facção dominante. Tanta gente fumava crack no Carandiru que, quando um preso negava o uso, eu achava que devia ser mentira. Nunca imaginei que essa droga seria varrida das prisões em meu tempo de vida, muito menos que os responsáveis pela proibição seriam justamente os líderes de uma facção envolvida com o tráfico nas ruas, depois de concluir que o craqueiro conturbava a ordem imposta por eles nos presídios a ponto de lhes prejudicar os negócios.

Como foi possível acabar com o crack nas cadeias, enquanto a sociedade não é capaz de enfrentar o problema nas ruas?

Por causa da legislação: as leis do crime não são frouxas como as nossas. Quem for pego fumando crack na cadeia é espancado; quem traficar morre.

Lidar com a perspectiva de passar anos seguidos trancafiado nos presídios brasileiros nas condições em que eles se encontram é tão insuportável, que ninguém admite a possibilidade de permanecer preso os anos necessários para cumprir a pena até o final. Se perguntarmos a um condenado a oitenta anos quanto tempo lhe falta para ganhar a liberdade, ouviremos: "No começo do ano que vem estou indo embora". Se fizermos a mesma pergunta a um sequestrador que aguarda julgamento, ele dirá que será libertado em dois ou três meses por falta de provas, apesar de saber que os juízes costumam dar penas de quinze a vinte anos, em regime fechado, para esse tipo de crime.

Levantar da cama todos os dias sem ter nada para fazer, cercado de grades e muralhas que impedem a visão do horizonte, sem um instante de privacidade, deve ser enlouquecedor.

Viver aprisionado nesse ambiente um ano depois do outro é chegar perto da eternidade descrita pelo padre Arnall, que na preleção aos pequenos irmãos em Cristo acrescenta mais um dos flagelos desse inferno: "Eles vivem na escuridão. Lembrem, o fogo do inferno não dá origem à luz... É uma tempestade sem fim de escuridão, chamas e fumaça negra de enxofre, em meio aos corpos empilhados uns sobre os outros sem sequer uma nesga de ar".

Uma das vezes em que fui chamado para ver um doente na Masmorra, o funcionário que me acompanhou pediu que não reparasse na desordem, porque um curto-circuito apagara as luzes do setor e o clima andava tão carregado que precisávamos ficar atentos, preparados para sair depressa ao menor movimento suspeito.

Quando a última porta de acesso foi aberta e a lanterna iluminou a galeria, um exército de ratos cinzentos interrompeu o jantar e bateu em retirada. Três ou quatro deles, tão graúdos quanto ousados, limitaram-se a correr até a parede do fundo, junto à qual se postaram imóveis, com os olhos brilhantes a observar nossos passos. O chão estava forrado de restos de arroz, feijão, pedaços de ovo frito e de linguiça calabresa que extravasaram das quentinhas atiradas para fora das celas em protesto contra a falta de luz e a má qualidade das refeições servidas. O cheiro azedo da comida misturado com o que vinha dos xadrezes era de virar o estômago. Quando me reconheceram, as cabeças esgueiradas através dos guichês começaram a falar ao mesmo tempo. Pediam que eu testemunhasse a insalubridade do recinto, a má qualidade da comida, e que os ajudasse a conseguir transferência para outro presídio. Reivindicavam com tamanha veemência, que parei para ouvi-los e levei tempo para chegar até o doente sufocado por um ataque de asma.

Na saída, fui direto para a sala da diretoria. Impossível não haver vagas no Sistema Penitenciário do estado de São Paulo para aqueles quarenta homens.

O diretor, dr. Walter Hoffgen, tirou da gaveta uma pasta com todas as cópias das solicitações feitas à Secretaria nos meses anteriores. Depois acrescentou desanimado:

— As pessoas que morrem de medo de andar na rua vão se preocupar com esses quarenta infelizes ameaçados de morte?

E lamentou a hipocrisia social:

— Depois vem o pessoal da Corregedoria e dos Direitos Humanos cobrar da gente um tratamento mais digno para o sentenciado. Eu também gostaria de melhorar, deixar todo mundo bonito, cada um em sua cela, mas cadê os recursos? No fim, somos nós os responsáveis pelos maus-tratos ou é a sociedade que despeja os bandidos aqui e fecha os olhos?

A convivência diária dos carcereiros com essa realidade não seria suportável se trouxessem para o interior das muralhas os sentimentos que servem de base para as emoções humanas fora delas. O fato de manterem o olhar frio diante das idiossincrasias do mundo do crime, entretanto, não significa que as experiências mais chocantes lhes passem despercebidas.

Quando detentos armados desfecham o ataque fatal contra um desafeto, os funcionários seguem a orientação de não intervir fisicamente. Desarmados, como enfrentar a fúria dos assassinos?

— Não há a menor condição de impedir, é como apartar briga de cachorro louco.

Apesar das recomendações dos superiores, são muitos os casos de carcereiros que salvaram ladrões da morte certa interpondo-se entre eles e seus carrascos, apesar do risco. O que os leva a pôr em perigo a própria existência para garantir a de um desconhecido que pode ser o criminoso que cometeu o mais vil dos atos?

— O senso profissional. A nossa cara é assegurar a integridade física do preso que está sob a guarda do Estado — diz seu Manoel, recém-aposentado.

O contato com a violência extrema deixa cicatrizes. Odair, funcionário já falecido, ao descrever a experiência de assistir ao esfaqueamento de um ladrão surpreendido pelos companheiros roubando um xadrez alheio, lamentou a persistência das imagens:

— Quem está lá fora pensa que a gente é insensível, mas quem apaga as desgraças da nossa mente? O olhar daquele preso ainda criança do outro lado da grade, implorando para que eu o ajudasse, me atormenta quando menos espero, no trabalho, na TV com meus filhos, no aniversário do sobrinho. Até quando faço sexo com minha mulher, ele às vezes aparece.

A tortura

No Brasil, tortura nunca mais! Esse grito de ordem dos ativistas políticos pode ser menos abrangente do que as palavras sugerem.

Podemos dividir em dois grupos os que condenam a tortura. No primeiro estão os que consideram essa prática ignominiosa por definição, contra qualquer pessoa, em qualquer época ou eventualidade; no segundo, os que se referem exclusivamente à violência política empregada contra os opositores das ditaduras de Getúlio Vargas e dos militares que tomaram o poder em 1964.

Enquanto sou solidário com os que a julgam procedimento inaceitável, capaz de tornar desprezível a condição humana e conspurcar a história das civilizações, desconfio da autenticidade dos que se atêm apenas àquela usada por regimes ditatoriais contra adversários políticos.

Quando vejo mulheres e homens da minha geração bradar contra a violência praticada nos porões do estamento militar, como se as Forças Armadas houvessem inventado essa conduta infame, tenho a impressão de ouvir as mesmas vozes dos que viveram sob os desmandos do governo Vargas ao relatar com revolta as sevícias a que foram submetidos, sem sequer mencionar a violência rotineira empregada contra a massa carcerária sem voz nem acesso ao Judiciário.

A verdade é que a tortura como instrumento de vingança e intimidação tem sido arma utilizada desde os primórdios da humanidade, com o propósito de castigar, punir quem ameaça a ordem pública e os que afrontam os detentores do poder.

No Brasil, morosa e discricionária como é, a Justiça encontra enorme dificuldade para condenar os clientes de advogados com influência nos meios jurídicos, enquanto o aparato policial é incapaz de solucionar a maioria dos crimes que ocorrem pelo país afora. Ilustram a impunidade brasileira o fato de permanecerem em liberdade os que assaltam os cofres públicos e a constatação oficial de que nossas polícias esclarecem menos de 10% dos homicídios cometidos e uma parcela insignificante dos roubos e assaltos à mão armada.

O dr. Luiz Felipe Borges, diretor do Carandiru na década de 1990, tinha em sua sala uma placa de bronze com os dizeres: "É mais fácil um camelo passar pelo buraco de uma agulha do que um rico ficar preso na Casa de Detenção".

Era um homem espirituoso e experiente. Em mais de vinte anos nos presídios, os únicos presos com dinheiro que conheci foram dois traficantes e um bicheiro, libertados em poucos meses.

A pobreza em que vive a periferia de nossas cidades, o contraste com a opulência dos bem-sucedidos e a certeza de impunidade não são as únicas causas, mas contribuem decisivamente para a disseminação da violência urbana, doença que se torna epidêmica quando atinge as classes mais desfavorecidas.

Diante de um Estado que não cumpre o dever essencial de proteger o cidadão do mal que terceiros possam fazer contra ele, e sem poder confiar na ação morosa da Justiça, a sociedade entrega de bom grado às forças de repressão a tarefa de castigar. Que razão haveria para esperar anos consecutivos pelo julgamento formal de um criminoso quando um policial pode executá-lo sumariamente?

Desaparelhada, com profissionais mal pagos e muitas vezes despreparados para a função, nossas forças policiais adotaram o emprego indiscriminado da estratégia mais rápida para punir e obter confissões. A tortura, prática que até recentemente era generalizada nas delegacias, cadeias públicas e penitenciárias do país, não foi um instrumento inventado pelas ditaduras, mas apenas adaptado por elas para atender a seus interesses imediatos. Pode haver exemplo mais ilustrativo do que a convocação de um delegado que chefiava o Esquadrão da Morte na cidade de São Paulo nos anos 1960 para atuar nas dependências dos serviços de Inteligência do Exército, locais em que a sevícia fazia parte dos procedimentos rotineiros?

A tortura como instrumento de dominação, vingança e controle social está entre nós desde os tempos dos pelourinhos em praça pública. Ao contrário da empregada contra os intelectuais de classe média em época de ditadura, que vem a público e nos causa justificada revolta, sempre fizemos vistas grossas àquela perpetrada sistematicamente contra os anônimos que vão parar nas delegacias e nas cadeias.

O aspecto mais odioso das ditaduras é o cerceamento dos direitos individuais. Sem eles, todos ficam à mercê da violência do Estado, não apenas os que ameaçam o poder dos governantes por meio de atividades políticas. O autoritarismo dos ditadores contamina de cima para baixo todos os escalões encarregados de manter a ordem pública, do ministro da Justiça ao escrivão de polícia, ao soldado da PM, ao carcereiro e ao guarda de trânsito. Nas delegacias, nas cadeias e nas ruas, bandidos, profissionais do sexo, travestis e pessoas comuns detidas sob qualquer suspeita nunca apanharam tanto quanto na época da ditadura militar.

Em 1989, quando cheguei no Sistema Penitenciário, bater em presos já havia deixado de ser prática corrente, mas ainda apanhavam na calada da noite os suspeitos de conhecer segredos sobre fatos que poriam em risco a segurança da cadeia: a posse de um revólver, a construção de um túnel ou um plano de fuga, os que desrespeitavam funcionários e os que maltratavam o companheiro com requintes de sadismo.

Como as regras eram claras, parecia haver um acordo tácito entre agressores e agredidos, de modo que a agressão não provocava revoltas coletivas.

Se um detento tentava fugir disfarçado de mulher em dia de visita, escalar a muralha com uma corda improvisada ou passar despercebido pela Portaria em meio a um grupo de visitantes, os carcereiros consideravam que a tentativa havia sido "na moral", merecedora dos trinta dias de praxe na cela conhecida como Isolada, mas não de uma surra, porque:

— A cara do preso é fugir, a nossa é impedir.

Se, no entanto, a tentativa envolvesse faca, arma de fogo ou violência contra qualquer funcionário, era outra história:

— Antes de ir para o castigo, a gente administrava um corretivozinho — como disse seu Araújo.

No passado, o corretivozinho tradicional era aplicado com canos de ferro, apetrecho que não poderia ser identificado como instrumento de tortura, em caso de fiscalização. Para não ficar com vergões na pele, o preso recebia estocadas com a ponta do cano.

Nos casos mais graves entrava em ação o pau de arara, acompanhado ou não de choques elétricos, administrados depois de se "empapelar" o detento, isto é, enrolá-lo em tiras de pano para não deixar marcas. Havia o entendimento tácito de que jamais se deveria dar um tapa na cara, agressão considerada desmoralizadora e ofensiva ao extremo.

Outras formas de tortura eram aplicadas sem que o carcereiro encostasse a mão no preso, como no caso de dois rapazes detidos como suspeitos de estuprar uma moça e que o chefe do pavilhão fez desfilar pelados, rebolando pela galeria, com o pênis e o saco escondidos entre as pernas, espetáculo que contou com a participação ruidosa dos demais detentos, àquela hora da noite trancados em suas celas. Assim que se abriram os xadrezes na manhã seguinte, os dois foram currados pelos companheiros.

Um dos carcereiros que fez parte de um grupo encarregado de extrair confissões nos anos 1970 disse que, no tempo dele, dispunham até dos préstimos de um preso-ator.

À noite, depois da tranca, iam buscar os suspeitos nas celas para colocá-los em fila na porta de uma das salas do térreo do pavilhão; no meio deles, o ator. Dois carcereiros saíam da sala e perguntavam um ao outro:

— Quem vai ser o primeiro?

Na fila o ator dizia:

— Senhor, qual é o problema? Por que nós estamos aqui?

Era o pretexto:

— Se você não sabe, vai ser o primeiro a descobrir.

Fechada a porta, começava uma gritaria assustadora.

O segundo a ser chamado era sempre o principal suspeito. Quando ele entrava, a cena era de filme de terror: da caixa de eletricidade desciam dois fios que vinham até o meio da sala; num canto, caído sob a mesa, o ator transfigurado tinha espasmos rítmicos nos braços e nas pernas e espuma de saliva na boca. Poucos resistiam:

— A encenação era para não ter que dar choque de verdade. Quando viam os fios, eles já diziam: "Espera aí, senhor, vamos trocar uma ideia".

Quanto aos que ainda assim se negavam a cooperar:

— Desistiam depois dos primeiros choques. Não havia quem aguentasse.

Depois de atender meia dúzia de pedidos para participar desses interrogatórios, o carcereiro que contou essa história se retirou do grupo:

— Enquanto era para descobrir onde estava escondido um revólver, quem ia matar quem ou a abertura de um túnel, eu ajudei. Agora, quando começaram a bater para alcaguetar funcionário e a bater por qualquer bobagem, eu disse que não podia ficar até mais tarde porque minha mulher andava com o sistema nervoso abalado.

Por incrível que pareça, os presos contavam que essas agressões não se comparavam às sofridas nos distritos policiais:

— Apanhar aqui é brincadeira de criança. Um ou outro que toma um pau de vez em quando, cinco minutos só, e já era. Na delegacia é choque no saco, na língua, tapa no ouvido, pau de arara, afogamento até perder o fôlego, pontapé na barriga, horas e horas, a noite inteira. O cara confessa até que crucificou Jesus Cristo.

Nesses anos, atendi muitos homens e mulheres que apresentavam sequelas de espancamentos: fraturas ósseas mal consolidadas, cicatrizes pelo corpo, surdez por ruptura de membrana do tímpano, perda de dentes. As agressões ocorriam no calor da refrega no momento da prisão e nos interrogatórios posteriores. Os presos apontavam como responsáveis tanto os policiais militares como os civis.

Como disse Odair, carcereiro que morreu de hepatite B ainda moço:

— Como o senhor acha que esses condenados a mais de cinquenta anos confessaram os crimes? Num lampejo de honestidade?

Quando cheguei na Penitenciária Feminina, examinei uma moça magrinha com várias cicatrizes na cabeça, uma das quais infeccionada. Segundo ela, eram resultantes das coronhadas que havia recebido sem motivo nenhum quando o Choque invadira a Penitenciária para sufocar a rebelião ocorrida semanas antes.

Depois de medicá-la, perguntei à presa que me ajudava no atendimento:

— Tem cabimento dar coronhada numa menina tão miúda?

A auxiliar, mulher de longa carreira no crime, sorriu:

— Foi vingança. Ela aproveitou a confusão para furar a barriga de uma funcionária com um estilete.

— Ela tinha algum problema com a funcionária?

— Nada, doutor, só de maldade. Aquela senhora era uma das que mais ajudava a gente.

Quando chamavam o Choque para revistar ou impor ordem numa cadeia, as queixas de pancadaria se multiplicavam:

— Só o Choque para fazer o preso tremer de medo — diziam os funcionários.

Na Detenção o procedimento para receber os PMs do Choque era padronizado: pela manhã, as celas permaneciam trancadas e a tropa se reunia no pátio interno, cada soldado com um cão policial e uma metralhadora. Prevendo o pior, os presos que guardavam facas no xadrez se livravam delas: uma chuva de estiletes e facões de todos os tamanhos despencava das janelas e ricocheteava no chão; ninguém se arriscava a cruzar o pátio naquela hora.

Em formação militar, o batalhão se dirigia aos pavilhões, acompanhado pelos funcionários que carregavam os molhos de chaves.

Nos andares, o carcereiro abria uma cela de cada vez. Os ocupantes saíam sem roupa e se encostavam com os braços para cima na parede oposta da galeria, de modo a ficar de costas para os policiais que faziam a revista, nem sempre com boas maneiras, como reconhecia seu Manoel, na época diretor do pavilhão Cinco:

— Quando eles cismam, revistam todas as roupas, rasgam

os pacotes de mantimentos, jogam a TV no chão, arrebentam as paredes com marreta e arrancam o vaso sanitário; quebram o xadrez inteiro atrás de arma e de droga.

Quando as mulheres entraram para a PM, o Choque pôde contar com a presença feminina, incluída na tropa com a provável intenção de humanizá-la. Uma tarde, ao terminar a revista do segundo andar do pavilhão Oito, com os presos ainda trancados, os soldados percorriam a galeria na direção da escada de saída, quando um engraçadinho deu um assobio malicioso para a policial. Ela parou com o cachorro ao lado:

— Quem foi?

Silêncio.

Repetiu a pergunta. Ninguém respondeu.

A policial voltou alguns passos:

— Eu sei que veio do lado direito da galeria, de uma dessas cinco celas mais próximas da escada. O covarde vai aparecer?

Silêncio sepulcral.

A policial pediu ao carcereiro que destrancasse o quinto xadrez, contado a partir da escada. Assim que a porta foi aberta, ela afrouxou a coleira do cachorro, agarrou-o pela nuca e ordenou:

— Vai, Trovão.

Foi um pandemônio, o cão mordia a torto e a direito os homens que voavam para cima dos beliches. Ela, impassível com a metralhadora apontada, a dois metros da porta.

Quando considerou o castigo suficiente, bastou chamar o cachorro uma vez, para que ele viesse resfolegante sentar a seu lado.

Enquanto acariciava a cabeça do animal, pediu ao funcionário que trancasse a cela e abrisse a seguinte.

A cena se repetiu mais quatro vezes.

Dezesseis presos com ferimentos foram parar na enfermaria. O engraçadinho, um pernambucano miúdo que vivia amigado com um travesti, saiu correndo do xadrez assim que a confusão terminou e seus ocupantes foram soltos. Chegou pálido na Carceragem do pavilhão, com as pernas mordidas e uma súplica:

— Senhor, pelo amor de Deus, me tira daqui depressa. Eu que assobiei.

A agilidade com que escapou do xadrez e a rapidez com que foi retirado do pavilhão impediram o linchamento.

Violência contagiosa

A sociedade brasileira, que vive assustada com a violência urbana, é omissa e conivente com aquela praticada pelo Estado, desde que a classe média e os mais ricos sejam poupados. Quando as câmeras de TV surpreendem um policial espancando populares, não falta quem justifique: "Se apanham é porque fizeram por merecer".

A filosofia do "bandido bom é bandido morto" tem inúmeros adeptos entre nós. O massacre do Carandiru, em que perderam a vida 111 homens do pavilhão Nove, foi aplaudido por tantos, que o comandante da tropa responsável pela operação se elegeu deputado estadual, com um número de candidatura que terminava em 111, para que não pairassem dúvidas entre seus eleitores.

A tortura nas cadeias de São Paulo arrefeceu gradualmente a partir dos anos 1990. Dois fatores contribuíram para essa mudança. O primeiro foi a pressão da sociedade, representada pelos ativistas que começaram a cobrar das autoridades a responsabilização criminal dos torturadores. O segundo foi o crime organizado, que ganhou força nos presídios paulistas com o massacre de 1992.

Há poucos anos um diretor de presídio foi assassinado na Grande São Paulo. Ao comentar o acontecimento, seu Manoel disse:

— Alguns ainda pensam que estão no passado. Hoje, bater em preso tem consequência; a realidade é outra.

Valdemar Gonçalves contrapõe:

— Quando fui contratado em 1986, qualquer agressão que um funcionário sofresse em qualquer cadeia gerava revolta imediata em todos nós. Hoje, passa um mês até a gente ouvir que um colega foi espancado ou assassinado no trabalho.

Há trinta anos no Sistema, Guilherme Rodrigues considera que a cultura antiga de impor ordem nos presídios por meio da força bruta foi um erro coletivo:

— O que adiantou bater? Se tivesse dado certo, não teríamos perdido o controle das cadeias para o crime organizado, como de fato aconteceu.

Estamos longe de acabar com a tortura no país, mesmo nas cadeias paulistas, onde a vigilância é mais severa. Como saber o que acontece durante a madrugada num canto qualquer de um distrito da periferia ou num presídio que a sociedade nem sabe que existe?

Não vamos esquecer que a natureza do trabalho de quem convive com a criminalidade incita naturalmente a prática da violência. Contê-la não é fácil, exige seleção rigorosa de profissionais, treinamento especializado, reciclagem educacional e fiscalização permanente, tarefas que os salários baixos desestimulam e que o Estado tem muita dificuldade em executar.

Violência é doença contagiosa.

Durante as filmagens de *Carandiru*, realizadas nas dependências da própria Casa de Detenção, os figurantes que faziam o papel dos presos rebelados nas cenas do massacre foram se queixar ao diretor Hector Babenco: estavam apanhando de verdade dos colegas que interpretavam os policiais militares encarregados de reprimi-los.

O vírus da violência contamina o ambiente prisional. Digo por experiência própria. Eu, que chego a demorar para pegar no sono por causa de um doente com febre — como acontece com tantos médicos —, muitas vezes senti vontade de bater num preso. Não por alguém haver me desrespeitado, fato que jamais ocorreu, mas pelos requintes de crueldade nos crimes cometidos contra gente indefesa ou pela brutalidade empregada para subjugar os companheiros.

Um detento famoso por haver decepado a cabeça de dois de seus companheiros de pavilhão uma vez me procurou com voz chorosa para se queixar dos dissabores que lhe causava um resfriado comum. É fácil para o médico tratar de um paciente desses com respeito e solidariedade?

Se eu soubesse que outro, um rapaz de 25 anos internado na enfermaria em estado grave, havia roubado e assassinado os pais e a avó de uma criança de dez anos, em seguida estuprada por ele, teria me empenhado durante semanas para conseguir os remédios que lhe salvaram a vida? Teria ido pessoalmente ao Posto de Saúde para buscá-los?

As torturas mais bestiais de que tive notícia não foram praticadas por carcereiros, mas pelos próprios presos contra os que caíram em desgraça, na maioria das vezes por motivos fúteis, vingança ou mera disputa de poder. A perversidade no mundo do crime não conhece limites. Não vou dar mais exemplos para não relembrá-los.

Cadeia é um lugar povoado de maldade.

Na sala de Revista

Tudo o que entra numa prisão deve ser revistado. Não obstante, basta acompanhar a rotina para perceber a impossibilidade de fiscalizar com rigor os caminhões de entrega que trazem as três refeições do dia e os materiais necessários para abastecer um presídio que pode albergar mais de mil pessoas, as vans e caminhonetes com os artigos para o trabalho dos detentos nos Patronatos, além de todos os que passam pela Portaria, sejam funcionários ou visitantes carregando sacolas abarrotadas de mantimentos, refrigerantes, cigarros e pacotes de biscoito. Numa cadeia grande seria preciso que dezenas de homens e mulheres se dedicassem apenas a essa função, número de que nenhuma delas dispõe.

São três as contravenções que respondem pela quase totalidade das mercadorias contrabandeadas para detrás das grades: droga, dinheiro e telefone celular.

A criatividade das visitas para ludibriar a fiscalização é diversificada. Cocaína e maconha são escondidas no interior de bolos de aniversário, frangos assados, embalagens de miojo, álbuns de fotografia, fraldas de recém-nascidos, bengalas de senhoras de idade, bíblias ocas, velas de sete dias e em pernas engessadas. A estratégia mais usada pelas visitantes para entrar com celulares e quantidades pequenas de droga é a de envolvê-los em sacos plásticos e ocultá-los na vagina.

Algumas mulheres empregam essa técnica por mero interesse financeiro: chegam a receber setecentos a oitocentos reais, dependendo da quantidade de droga que conseguem acondicionar. Outras são levadas a fazê-lo por sentimentos mais nobres. Em geral são jovens com pouca escolaridade, mães de mais de um filho, moradoras da periferia, apaixonadas e chantageadas por ladrões que nunca mais se lembrarão de seus nomes caso sejam presas em flagrante.

Dona Joana, com muitos anos de experiência na função de revistar, reconhece a invasão da intimidade:

— É humilhante, mas não tem outro jeito. Tem que fazer todo mundo tirar a calcinha e abaixar. Na dúvida, mandar tossir com força. Já peguei senhoras de oitenta anos trazendo droga na vagina para o vagabundo do neto sem-vergonha. Aparecem umas mocinhas com bebezinho no colo, que a gente tem que mandar para a delegacia. Corta o coração, podia ser uma filha nossa.

Na delegacia, essas mulheres são autuadas em flagrante e encarceradas. Não voltam mais para casa; os filhos ficarão sob os cuidados sabe lá Deus de quem. Meses mais tarde, serão condenadas a cumprir penas por tráfico que podem chegar a quatro ou cinco anos. As que são surpreendidas traficando droga para algum membro da facção dominante recebem as condenações mais longas.

As novatas entrarão em contato com criminosas de carreira e aprenderão a obedecer às leis impostas pelas quadrilhas que controlam os presídios paulistas; as mais experientes farão pós--graduação em criminalidade.

Ao entrar na cadeia num domingo, Irani viu uma mulher com mais de setenta anos ser levada para lavrar o flagrante na delegacia. Trouxera cocaína para o filho, que lhe contara uma história de que seria assassinado caso não liquidasse a dívida contraída com traficantes.

Revoltado ao ver uma senhora de idade com roupas simples, tranças compridas como as das evangélicas e as pernas cheias de varizes, aterrorizada, enquanto aguardava a chegada da polícia, Irani foi atrás do filho que a colocara naquela situação.

O rapaz se apresentou em sua sala, humilde, com as mãos para trás. Depois de confirmar que se tratava da pessoa certa, entregou-lhe um catecismo aberto na página dos dez mandamentos:

— Você vai ler um por um, em voz alta. Quando chegar naquele que manda honrar pai e mãe, faz o nome do padre, ajoelha e reza uma ave-maria e um pai-nosso, baixinho mas que eu possa ouvir. Depois faz outro nome do padre, levanta e começa tudo de novo.

— Quantas vezes, senhor?

— Até acabar a visita.

— Mas ainda faltam três horas, senhor.

— O que são três horas perto do tempo que a senhora sua mãe vai passar na cadeia?

Nem sempre a contravenção é praticada por visitantes: funcionários aliciados podem fazer vistas grossas à entrada de itens proibidos. Os colegas se revoltam:

— Eles levam grana para não examinar a pacoteira. Passa uma partida de maconha, cocaína, meia dúzia de celulares, até que um dia entra uma arma.

De fato, contam os mais antigos que na tentativa de fuga da Detenção, em 1982, no decorrer da qual foram assassinados a tiro Santiago e Adãozinho, funcionários que faziam a escolta do diretor Luizão, os revólveres vieram camuflados nas sacolas das visitas que passavam semanalmente com maconha pelo boxe de um colega venal.

Justiça seja feita, no entanto. Quando comparamos o número de carcereiros do Sistema com o daqueles envolvidos no tráfico de drogas e celulares, constatamos que se trata de uma minoria. Mesmo os de conduta pouco ortodoxa, que aceitam favores e retribuição financeira de presos interessados em pequenas regalias, condenam os colegas traficantes:

— Até para levar grana tem que ter ética. Uma coisa é ganhar um dinheiro que não prejudica ninguém, outra muito diferente é se mancomunar com vagabundo, virar traficante ou colocar em perigo a vida de todos.

Um dos revistadores, que conheço há pelo menos quinze anos, já mandou para a prisão mais de vinte funcionários-traficantes. A seriedade no cumprimento do dever lhe valeu elogios de seus superiores, menções honrosas formais, diversas tentativas de suborno e ameaças de morte.

Homem com perto de cinquenta anos, pai de três filhas, estatura mediana, mais parece balconista de loja de tintas do que encarregado de vigiar portaria de presídio. Quem o vê na sala de Revista tem a impressão de que se trata de profissional displicente à espera do horário de bater o ponto. A postura relapsa, entretanto, faz parte de uma técnica aprimorada para apanhar contraventores, habilidade que lhe confere respeito unânime entre os pares.

— Fico com ar distraído, mas, antes de revistar o cidadão, olho fixo na pupila dos olhos dele. Se estiver trazendo bagulho, o olhar foge, não resiste, quando volta já não é o mesmo.

Ao desconfiar da atitude, seria esperado que iniciasse uma revista minuciosa:

— Pelo contrário, mal bato as mãos nas laterais do corpo e deixo entrar. Nos dias seguintes a mesma coisa, até ele achar que não estou nem aí, que sou idiota. Então dou o bote definitivo: revisto pente-fino dos pés à cabeça, para pegar o cara carregado.

O fato de mandar para a cadeia funcionários públicos como ele não lhe causa dilemas existenciais:

— Colega meu é aquele que, quando precisa de dinheiro, arranja um bico para fazer a segurança de uma padaria ou de um supermercado. Esses caras que hoje trazem droga amanhã tentarão passar com um revólver. Eles não são colegas de ninguém, são bandidos.

Valdemar Gonçalves

A barba branca que chega ao peito em meio às correntes grossas com o crucifixo e o busto de prata de um guru barbudo como ele é o que antes de tudo chama a atenção na figura de Valdemar.

O pai, um negro de estatura média, lixeiro no entreposto da prefeitura em frente ao Mercado Municipal, nasceu no interior de São Paulo, onde conheceu a esposa, com quem teve seis filhos. Ela, branca, não obstante conhecida como dona Mulata, enérgica com as crianças e ordeira com a casa no Chora Menino, exerceu forte influência na formação de Valdemar e do irmão mais velho, Eurico, os únicos que permaneceram solteiros.

Aos oito anos Valdemar já entregava marmita para os operários da fábrica de máquinas Santa Terezinha, na zona norte. Aos dez começou a trabalhar com um sapateiro do bairro, com quem aprendeu o ofício exercido nos quatro anos seguintes. Daí em diante foi office boy numa firma do centro, encarregado de preparar e servir café num escritório da praça Dom José Gaspar e vendedor de autopeças na Barão de Limeira, emprego que manteve por mais de dez anos apesar do salário baixo, porque os pais não podiam prescindir de sua ajuda. Hoje, afirma com orgulho que jamais foi demitido de um emprego.

Em 1974 perdeu o pai. Três anos mais tarde, a mãe. Os dois irmãos solteiros ficaram na casa, com o quintal cheio de galinhas, patos, pássaros, coelhos e outros animais de estimação que ocupavam o tempo e faziam a alegria de Eurico, falecido há dois anos.

Se a mãe não tivesse morrido, ele jamais teria feito o concurso para agente penitenciário, em 1985:

— Ela não admitiria que um filho passasse a vida no meio de bandido, mas eu sempre sonhei com a carreira de servidor público.

Ao contrário dos colegas, quase sempre admitidos na juventude, Valdemar tinha 39 anos quando foi designado para a função de carcereiro no pavilhão Oito. Quando cheguei na Detenção, em 1989, ele já não trabalhava na Carceragem, era encarregado do Departamento de Esportes.

Uma vez, ouviu dizer que um ladrão de carga de nome Messias estava prestes a matar um companheiro recém-chegado no pavilhão vizinho. Valdemar subiu para o xadrez do ladrão no terceiro andar:

— É verdade o que me contaram?

— Esse pilantra é Ricardão, seu Valdemar, saiu com a minha mulher sabendo que eu estava na cadeia.

— Quanto tempo falta para cantar sua liberdade?

— Menos de um ano.

— Faz o seguinte: vai lá e mete a faca nele. Depois passa na minha sala para contar se valeu a pena.

No fim do dia Messias apareceu:

— Vim agradecer o senhor. Eu ia atrasar a minha vida.

Para preparar os eventos esportivos que mantinham a malandragem entretida, contava com a colaboração da "turma do

Esportes", formada por presos eleitos pelos companheiros de cada pavilhão, grupo coeso que só perdia em poder para a Faxina, mais numerosa e organizada. A tarefa maior do pessoal do Esportes era coordenar o campeonato interno de futebol, competição renhida da qual emergia a seleção da Casa, que disputava partidas sensacionais com os times de várzea que Valdemar trazia, às sextas-feiras.

Invariavelmente, tais campeonatos eram precedidos pela elaboração do regulamento, que, uma vez aprovado, virava bíblia. O popular "tapetão", quebra de regras rotineira entre os cartolas dos clubes de futebol profissional, era desconhecido naquele ambiente. As reuniões aconteciam na sala de Valdemar, sob o olhar lânguido das mulheres nuas coladas na parede e a vigilância piedosa de Nossa Senhora Aparecida com o manto azul, São Jorge destemido no cavalo empinado com a lança e o dragão, Jesus Cristo de coração exposto, Zé Pelintra, Pombajira, Oxóssi e outras divindades umbandistas que se acotovelavam no altarzinho em cima do armário, ornamentado com guirlandas de flores artificiais.

A tabela do campeonato envolvia discussões acaloradas:

— Então, é o seguinte, meu: os quatro primeiros vão para as semifinais; os vencedores disputam a finalíssima.

— Decidir num jogo só favorece a sorte. Mais justo é melhor de três.

— Três é muito jogo, tira a emoção. Além do que demais, o último prélio cairia na sexta-feira do Dia das Mães; os mano vão querer dar uma geral no barraco para receber as visitas com dignidade e consideração.

Ouvi esses diálogos numa das tardes em que passei por sua sala antes de me dirigir à enfermaria do pavilhão Quatro para o atendimento. Ao sair, ele se aproximou e disse em voz baixa:

— Tem um senhor preso no pavilhão Dois que passou mal à noite. No fim do dia a gente não poderia dar uma olhada nele? Não é bom que ele fique andando por aí.

Depois de ver o último doente na enfermaria, voltei à sala de Valdemar. Ao mesmo tempo chegou um dos detentos que participara da organização da tabela do campeonato, no início da tarde. Tinha uma reclamação a fazer:

— Quando voltei para o Sete, os companheiros acharam que nós vamos ficar no prejuízo, porque todo mundo tem dois jogos em dias seguidos, enquanto o pessoal do Dois não. É vantagem para eles.

Valdemar tirou uma tabela do bolso:

— São sete pavilhões, número ímpar, um deles tem que levar essa vantagem. Escolhi o Dois porque só tem trezentos presos, muito menos do que os outros, logo com mais dificuldade de formar um time como o do Oito, que tem 1600, e mesmo como o de vocês, do Sete, com oitocentos.

— Entendi — respondeu o rapaz. — Vou explicar para os companheiros.

Deu alguns passos na direção da porta e parou:

— O senhor é firmeza, seu Valdemar. Procura sempre agir certo com nós. Se tivesse conhecido um homem como o senhor quando eu era criança, quem sabe não tinha entrado nessa vida.

Era noite quando atravessamos a galeria do segundo andar do Dois. A cela era ampla; em seu interior, dois homens conferiam contas numa mesinha coberta de papéis, um travesti de calça justa e umbigo de fora preparava no fogareiro um chá para um senhor de cabelos brancos com olheiras fundas recostado num dos beliches do fundo do xadrez. Antes de servi-lo, o travesti derrubou o conteúdo de uma colherinha do chá nas costas da mão para testar a temperatura.

Era um caso de sinusite num homem com pressão alta. Tinha febre e tossia muito, especialmente quando deitava; nas duas noites anteriores mal conseguira cochilar alguns minutos.

Receitei cortisona, um antibiótico, e fomos embora. Quando

saímos do pavilhão, perguntei quem era o personagem. Valdemar confidenciou que se tratava de gente importante: proprietário de diversas bancas de jogo de bicho na zona sul e controlador de máquinas eletrônicas, entre outras contravenções, condenado a cinco anos pela suposta ordem para matar um concorrente. Duvidava que o homem cumprisse a pena até o fim, tinha bons advogados.

Na semana seguinte voltamos para vê-lo. Era outra pessoa: sorridente, animado, com os olhos azuis cheios de brilho ao falar da escola de samba que presidia. Insistiu muito para que a visitássemos em dia de ensaio, seríamos recebidos com fidalguia por seu preposto, Juvenal, encarregado de administrar os negócios na ausência do patrão.

A quadra estava lotada de mulheres, homens e correria de crianças. Não fosse o ar inquisidor do segurança de terno preto que nos encheu de perguntas na entrada, a acolhida teria sido impecável, conforme a promessa. Fomos conduzidos à tribuna de honra, na parte central, construída a dois metros e meio do chão, com a escada de acesso guardada por dois brutamontes postados em posição de sentido no primeiro degrau. A bateria ensurdecedora ensaiava sob o comando do apito do diretor magrinho e compenetrado.

Na tribuna, Juvenal estava sentado no centro de uma mesa comprida atapetada de latas de cerveja, entre homens e mulheres da diretoria que berravam a plenos pulmões para se fazer ouvir. À direita dele, duas cadeiras vazias reservadas para Valdemar e para mim; à esquerda, outras três, nas quais sentaram o enfermeiro Paulo Preto e os autores do gibi *O Vira-Lata*, que distribuíamos na cadeia como parte de um programa de prevenção à aids: o músico Paulo Garfunkel e o ilustrador Líbero Malavoglia. Aos pés de Juvenal, uma bolsa preta cheia de zíperes abertos da qual ele não desgrudava os olhos.

A tensão em seu rosto era indisfarçável; o olhar ligeiro percorria os quatro cantos da quadra. Impossível não lembrar dos filmes em que os gângsteres e seus convidados caem sob as rajadas de metralhadora dos rivais que surgem ninguém sabe de onde.

A expressão do chefe só desanuviou quando dois homens vindos de lados opostos lhe fizeram um sinal de o.k.

Quase ao mesmo tempo a madrinha de bateria entrou, fez reverência aos presentes e começou a dançar. Era uma figura esguia, de salto alto e vestido curto, que mais parecia uma deusa de pele escura a flutuar sinuosa em harmonia com o som da percussão. Seu sorriso iluminava a quadra inteira.

Paulo Garfunkel se aproximou de meu ouvido:

— O tal de Hitler era um débil mental. Raça superior, aquelas alemoas branquelas?

Quando a escola saiu para um giro pelas ruas do bairro, vieram dois garçons com pratos de mortadela cortada em cubos, provolone, calabresa acebolada, torresmo e mais cerveja, é lógico.

Aproveitei o silêncio para perguntar a Juvenal:

— Que idade você tem?

— Trinta e três, mas não quero morrer crucificado.

— Imaginei que fosse mais velho. Quantos homens você comanda?

Ele fechou a cara. Expliquei que podia confiar, trabalhava no Carandiru havia muitos anos e nunca delatara ninguém.

— São mais de quatrocentos empregos diretos. Se for contar os indiretos, passa de 1200.

— Como um rapaz da sua idade consegue chefiar tanta gente?

— Eu dou para os meus homens aquilo que o ser humano mais gosta.

Eu sorri, ele continuou:

— Não é dinheiro nem sexo, é a oportunidade para falar de si mesmo. Tenho paciência para escutar o que cada um tem a dizer.

Dois ou três meses mais tarde, encontrei Valdemar na sala tirando o pó das imagens do altar.

— Pedindo perdão pelos pecados do sábado?

— Fim de semana bravo, doutor. Ganhei uma cachaça aveludada, de um alambique de Minas. Ó, problema sério, me ajudou a esfriar os pensamentos.

— E o que esquentou sua cabeça?

Ele fechou a porta e voltou com uma fisionomia desconhecida.

— Você tem dez minutos para uma conversa sigilosa que um homem só pode ter com um amigo de verdade?

Havia recebido uma proposta para levar cinco quilos de cocaína para dentro da cadeia, a título de pagamento para três presos arregimentados com a finalidade de matar o bicheiro que tínhamos atendido no pavilhão Dois. Em troca lhe dariam uma BMW no valor de 80 mil dólares.

Estranhei pagarem tanto, quando arranjariam com facilidade quem executasse o serviço por 10% desse valor. O interlocutor explicara que preferiam gastar mais com um funcionário que não despertaria suspeita ao passar pela Revista, e que honraria a palavra, a correr o risco de que algum mau-caráter desse com a língua nos dentes, abortasse o plano e pusesse todos em perigo.

Ele argumentou que em mais de vinte anos de funcionalismo jamais havia feito algo errado. O interlocutor quis saber o que ganhara com a honestidade, uma casa velha herdada dos pais e as galinhas do quintal?

— E você perdeu o sono? — perguntei.

— Se vender o carro, recebo 240 mil reais. Ganho 2 mil por mês. São 120 salários: dez anos de trabalho.

— Mas está vivo e dorme tranquilo. Se por qualquer razão o plano der errado, a chance de morrer não é pequena.

Em seguida, ele alinhou as estratégias que poderia empregar para passar pela Revista com os cinco quilos. Pelo visto, tinha avaliado todas as possibilidades.

Bateram na porta. Quando dois funcionários entraram atrás de um jogo de camisas de futebol, fui para o atendimento no pavilhão Quatro, mas passei a tarde preocupado. No fim do dia fui procurá-lo:

— E aí, Valdemar?

— Vou me fingir de morto. Nasci para ser pobre.

Lembrei-me de uma citação de Machado de Assis modificada por Luizão:

— A ocasião faz o roubo, o ladrão já vem feito.

Guilherme Rodrigues

Guilherme foi boêmio na juventude. Na mesa de snooker, chegava a encaçapar da primeira à última bola sem que o adversário tivesse a oportunidade de pegar no taco.

Com essa habilidade, fez nome nos principais bilhares de São Paulo, jogou com Carne Frita, Joaquinzinho, Boca Murcha e outros personagens que se reuniam no Maravilhoso, da avenida São João, no Bangu, da Vila Formosa, nos bares da Boca do Lixo e do centro antigo.

Como muitos meninos de sua época, ao concluir o curso ginasial foi trabalhar numa fábrica, na qual permaneceu até os 24 anos. Desempregado, mudou de rumo, voltava para casa de madrugada e acordava na hora do almoço.

Quando ele tinha catorze anos, o pai vendeu a pequena oficina mecânica de Borborema, no interior do estado, em busca de uma vida melhor para os seis filhos na capital. Espanhol sisudo que não bebia nem fumava, ficava contrariado com a vida desregrada do filho. A mãe, completamente dedicada à família, mais ainda.

A carreira na boemia durou três anos. Com medo de que o rapaz enveredasse pelo mau caminho, a mãe pediu a um deputado conhecido que conseguisse emprego para ele na Penitenciária do Estado, pequeno tráfico de influência rotineiro naqueles tempos de legislação frouxa.

A escolha do novo trabalho não foi aleatória, Guilherme era fascinado pelas histórias de bandidos e policiais que ouvia contar na noite e leitor assíduo das colunas de Romão Gomes Portão, no *Notícias Populares*, em especial pelas que descreviam as peripécias de Betona, a rainha da Boca do Lixo, e de outros marginais que mais tarde conheceria na Penitenciária e no Carandiru.

Sempre atento ao modo de agir dos colegas mais experientes, em apenas três meses foi escalado para o Serviço de Vigilância Especial, encarregado de atuar em momentos de rebeldia, apartar brigas, fazer revista e transportar presos perigosos.

Quatro anos mais tarde, prestou exame e se tornou efetivo. No ano seguinte, foi aprovado em concurso para a Polícia Civil e designado para a delegacia de Vila Brasilândia, onde permaneceu alguns meses, tempo suficiente para perceber que sua vocação era mesmo lidar com presos e voltar para a Penitenciária.

Fala com saudades daquela época:

— A Penitenciária era organizada, trabalhávamos uniformizados, havia disciplina, obediência, hierarquia. Os presos eram bandidos que conheciam e respeitavam as regras de procedimento.

Durante quinze anos, morou com a esposa e os dois filhos numa das casas destinadas à diretoria, construídas no terreno da própria Penitenciária. A proximidade do local de trabalho e a natureza da função exercida trouxeram a desvantagem de afastá-lo do mundo civil e dos amigos do passado.

— Ser guarda de presídio significa viver no mundo do crime. Quem vai matar quem? Se eu tomar essa atitude, quais serão as consequências? E se tomar outra? Por que aquele preso disse aquilo? Será que levo a sério a denúncia da fuga? E o colega, está mesmo envolvido com a quadrilha?

A rotina de uma cadeia é tão carregada de conflitos e explosões de violência, que as emoções da vida comum esmaecem. Empenhado em apaziguar duas quadrilhas para evitar uma guerra que terminará com mortes, é pouco provável que o agente chegue em casa descontraído para o convívio familiar.

Depois do café da manhã de um domingo de sol, Guilherme atravessou o caminho arborizado que separava sua casa das muralhas da Penitenciária, para ver como transcorriam as visitas, hábito adquirido desde a nomeação como diretor de Segurança.

Na entrada, retirou da fila quilométrica três senhoras de idade e duas moças grávidas, para fazê-las entrar com ele, providência que havia aprendido com o diretor-geral, Luizão:

— Quando elas chegam lá dentro e descrevem a gentileza, o preso fica eternamente agradecido. Jamais vai criar problema.

No térreo do pavilhão Um, os homens tinham espalhado bancos e forrado as mesas com lençóis e cobertores para almoçar com os familiares que traziam frango assado, maionese de batata, macarronada, farofa, bolos, pudins e as inevitáveis garrafas plásticas de refrigerante. Como sempre, mais de 90% eram mulheres de todas as idades, bebês, e crianças mais velhas que corriam entre as mesas.

No pavilhão Dois, decorado com bandeirinhas juninas esticadas no teto, o mesmo clima festivo. No Três, o diretor de Segurança estranhou:

— A unidade estava silenciosa.

As visitas conversavam em voz baixa, com ar apreensivo. Ele parou na grade da gaiola situada entre o corredor interno e a galeria central que levava às celas. Um preso conhecido passou junto à grade e murmurou:

— Tá sinistro, o couro vai comer.

Guilherme subiu pelas escadas até o quarto andar. Não fosse a inquietude dos funcionários que guardavam as portas de acesso às celas, nada chamava a atenção. Apenas o silêncio, prenúncio das tragédias.

Inspecionados os andares, voltou para a grade de entrada do térreo. Parado ali, notou que no primeiro xadrez do lado esquerdo o faxina Bobô, um preso com quem tinha amizade, entrava e saía da cela:

— Bobô, você está agitado, chega aqui na grade para trocar uma ideia.

Mal acabou de falar, começou a gritaria. Mulheres e crianças corriam pelas galerias, sem ter por onde sair, porque os guardas de plantão não se arriscavam a abrir as duas portas da gaiola de entrada. Feito pintinhos assustados que procuram as asas da mãe, os funcionários se juntaram ao lado do diretor de Segurança.

Ele diz que esse é um dos segredos da profissão:

— Cadeia precisa ser dirigida de modo que o funcionário sinta que nos momentos de crise o diretor estará ali para protegê-lo.

Vindos da escadaria, dois homens com facas avançaram na direção de Bobô, que mal teve tempo de pegar a sua embaixo do colchão. Apesar de estar sozinho, o faxina investiu contra os inimigos. Guilherme, sem poder entrar pela gaiola trancada, berrava para que a luta terminasse.

Quando os dois atacantes pareciam perder terreno, entrou em cena outro homem com uma faca afiada: Paixão.

Acuado, Bobô recuou para dentro do xadrez. Guilherme gritou, ameaçou, esbravejou, tentou o tom conciliatório, mas não conseguiu evitar o desenlace. Em dois ou três minutos Paixão, matador profissional, apareceu na porta da cela com a faca ensanguentada.

A morte não acalmou os ânimos, foram mais vinte minutos de correria no terceiro andar e de gritos desesperados. Os funcionários finalmente abriram as grades para socorrer as visitas, expondo-se ao conflito. No fim, quinze detentos se apresentaram na gaiola do térreo para entregar as facas. Dois outros companheiros de Bobô estavam mortos, um deles amigo inseparável de Paixão.

O motivo?

Um conhecido de Bobô apoderou-se do "jumbo", a sacola de mantimentos que a família trouxera para um dos presos. Bobô tomou a defesa do amigo com a justificativa de que se tratava da cobrança de uma dívida. Paixão e os companheiros não aceitaram o argumento.

Como consequência da morte de Bobô e dos dois companheiros, Paixão, homem revoltado, com diversas mortes nas costas, estuprado anos antes no Carandiru, foi transferido para o Anexo de Taubaté, na época o presídio de segurança máxima do estado. Meses mais tarde, enforcou-se nas grades da cela.

Naquele domingo do entrevero, Guilherme chegou atrasado para um almoço em família:

— Ainda tomei uma bronca da minha mulher.

Na Penitenciária do Estado, suas relações com Luizão, o diretor-geral, nem sempre foram amistosas:

— Ele vivia pegando no meu pé. Não podia encostar o dedo num preso que ele ameaçava: "Vou te mandar para o inferno, seu desgraçado".

Luizão justifica:

— Ele foi um de meus funcionários mais dedicados e corajosos, sempre pronto a entrar nas confusões, mas era muito afoito e agressivo. Corria risco de morte. Precisava de um freio.

Uma noite, no táxi em que trabalhava nas horas de folga para complementar o orçamento doméstico, Guilherme ouviu no rádio que o secretário da Justiça havia acabado de transferir Luizão para a Casa de Detenção, o Carandiru:

— Só não pulei de alegria porque estava dentro do carro. Deus tinha ouvido minhas preces, estava livre daquele chato.

A felicidade durou apenas até ele chegar em casa. A esposa tinha um recado:

— É para você ligar para o doutor Luizão.

Do outro lado da linha, o chefe foi impositivo:

— Você vai ser meu assessor na Detenção.

Ao assumir o novo cargo, Guilherme estranhou a falta de disciplina, da rigidez no trato com os sentenciados, e a diferença de cultura entre as duas cadeias:

— Na Penitenciária, um detento flagrado com maconha ia para a Isolada, sem reclamar. Na Detenção, tantos fumavam, que eu me limitava a mandar comer o baseado. Se fosse mandar para o castigo, ia a cadeia inteira.

Numa segunda-feira, quando ele chegou em sua sala no pavilhão Seis, o telefone interno tocou. Era um de seus informantes, que cumpria pena no pavilhão Oito:

— Seu Guilherme, pega a maconha que vai entrar no caminhão de conta-gotas.

Fazia sentido: naquela manhã era esperado o caminhão que trazia da fábrica os componentes dos conta-gotas, que seriam montados e embalados em caixas pelos presos que trabalhavam nos Patronatos, área em que eram executados os serviços contratados pelas empresas.

Guilherme ligou para o dr. Walter Hoffgen, seu superior hierárquico, que veio a ser diretor-geral da Penitenciária e da Detenção nos anos 1990 e chefe de gabinete do secretário da Administração Penitenciária em 2010.

Quando o caminhão estacionou na entrada, seu Ulisses, chefe da Portaria, permitiu que seguisse até a Divineia, o pátio central da cadeia, onde Guilherme e dois auxiliares aguardavam para revistá-lo, tarefa demorada por causa da grande quantidade de material empilhado.

Enquanto descarregavam os fardos, tiveram certeza de que a denúncia era digna de crédito:

— Pelo nervosismo do motorista, que ficou branco e trêmulo feito vara verde.

Numa das caixas em que estavam dispostas as folhas de papelão para a confecção das caixinhas de conta-gotas, encontraram 34 quilos de maconha.

Duas semanas mais tarde, Luizão avisou a Guilherme que levaria um grupo de visitantes para conhecer o pavilhão Oito.

Acompanhando a visita à distância, Guilherme não gostou de ver as galerias desertas e as rodinhas que se formavam no campo de futebol, ao lado.

Num dado momento, passou por ele um preso magrinho, condenado a muitos anos:

— Tira as visitas, seu Guilherme. Vai ter briga de faca.

Era justamente o informante que denunciara o caminhão com maconha.

Guilherme encontrou um jeito para aproximar-se do diretor-geral sem que os visitantes percebessem:

— Chefe, temos problemas. Melhor sair.

Assim que as visitas se retiraram, ele pediu aos dois auxiliares que dessem uma olhada no pessoal do campo.

Os dois voltaram logo:

— Não dá nem para chegar perto. Fizeram uma parede humana junto à muralha que separa o Oito do Cinco, nem conseguimos ver o que acontece ali no meio.

Em passos rápidos, Guilherme atravessou o campo. O pavilhão inteiro formava uma barreira que não deixava espaço para passar.

Não teve dúvida; com os braços e os ombros foi abrindo caminho aos trancos em meio à massa. A resistência passiva que os presos faziam não foi suficiente para impedir-lhe a passagem.

Quando chegou nas últimas fileiras, pôde ver dois homens junto à muralha, armados com faca, em luta de vida ou morte.

Sem cerimônia, empurrou com tanta força os que ainda restavam à frente, que três deles foram ao chão.

— Para já com isso. Dá aqui essas facas.

Gritou e avançou resoluto contra os adversários. Ficou no meio deles, tão perto das armas que nem notou a chegada de seu Siqueira, funcionário mais velho que veio atrás para não deixar o companheiro sozinho no meio da confusão.

Os carcereiros desconfiaram da prontidão com que os contendores entregaram as facas.

Mais tarde descobririam que os dois tinham sido injustamente acusados de delatar a maconha apreendida, pelo fato de trabalharem no setor encarregado do controle das mercadorias encaminhadas para os Patronatos.

Na sala da diretoria, ao receber a notícia de que a indisciplina lhes custaria trinta dias na cela-forte, os lutadores agradeceram:

— Foi Deus que enviou os senhores. Obrigaram a gente a lutar, mas já tinham combinado matar aquele de nós que sobrevivesse.

Negociador nato

Com o passar do tempo seu relacionamento com Luizão mudou:

— Aprendi muito com ele. É o homem mais corajoso que já conheci.

Um dos funcionários mais experientes do Sistema Penitenciário, Guilherme atualmente dirige uma das quatro unidades do antigo Cadeião de Pinheiros, apelidado de "Novo Carandiru" por albergar quase 6 mil presos em celas que chegam a conter mais de vinte homens. Chefia agentes jovens, sempre atentos às orientações do diretor:

— Ninguém conhece cadeia como ele — é o que todos dizem.

Segundo Guilherme, o centro de detenção que dirige, reservado para os presos que não pertencem à facção controladora da maioria dos presídios paulistas, é o mais infame do Sistema:

— Para cá são mandados ex-membros do Partido, ex-delatores, ex-policiais, ex-estupradores, ex-craqueiros, ex-filhos da puta, ex-tudo o que não presta.

Sente mais falta dos dias em que era escalado para sufocar rebeliões do que de tudo o que já fez na vida. Nada é comparável:

— Chegar na gaiola de entrada de uma cadeia com colchões pegando fogo, funcionários-reféns, presos agitados, gritando e correndo para lá e para cá com as facas, ameaçando matar todo mundo, sem perder a calma para analisar o ambiente e perguntar com quem eu converso é a maior adrenalina que um homem pode experimentar.

Nessa hora, segundo ele, o negociador esquece que existe vida fora daquele local. Nem família, nem amigos, nem gente na rua: a atenção se volta integralmente para os detalhes, nenhum dos quais pode passar despercebido. É preciso identificar num relance o líder e analisar-lhe o perfil, a motivação, se fala por iniciativa própria ou a mando de terceiros, se é respeitado ou odiado pelos companheiros, se está sob o efeito de droga, se é psicopata, se mexeu com alguma visita, estuprou um companheiro, saiu com a mulher do outro na rua, se é um imediatista à espera da solução mais rápida ou se está disposto a conduzir a negociação com frieza.

Essa avaliação sumária envolve os reféns. Antes de entrar, é fundamental informar-se com os colegas a respeito da índole de cada um, saber se algum deles tem problema psiquiátrico, se são medrosos ou experientes, se batiam na cara dos detentos ou estavam envolvidos em patifarias.

É necessário reconhecer qual deles está apavorado, em pânico, para tentar libertá-lo depressa, em troca de água, alimentos ou de alguma reivindicação menor, para evitar que sirva de instrumento de pressão chantagista.

— De cara é preciso assumir o controle da situação, deixar claro quem está no comando. Demonstrar insegurança, medo ou fraqueza é colocar tudo a perder.

Anos atrás, numa rebelião no interior do estado, Guilherme

chegou na gaiola em que dois prisioneiros, um dos quais falava compulsivamente, aguardavam o negociador ao lado de uma cabeça decepada. Fingindo não ter visto a cabeça jogada no chão, voltou-se para o que parecia mais equilibrado:

— Não converso com drogado. Volto daqui a trinta minutos. Se esse maluco ainda estiver aqui, vou embora para casa.

Nada adiantou o maluco esbravejar, ameaçar que mataria os reféns e que incendiaria a cadeia, em passos lentos ele desapareceu na galeria.

Quando retornou, meia hora mais tarde, a cabeça estava no mesmo local, mas havia outro preso no lugar do drogado. Em quinze minutos foi feito o acordo.

Dinheiro falso

Buda iniciou a carreira de estelionatário ainda na escola primária. Não por necessidade, mas por fascínio, segundo reconhecia.

Obeso desde que veio ao mundo, era ridicularizado pelas crianças da vizinhança e alijado do futebol na rua em que morava, na Lapa de Baixo. Na escola primária, viveu estigmatizado até os colegas descobrirem sua incrível habilidade para imitar a letra alheia. A partir de então, começou a ganhar a vida falsificando assinaturas de pais e anotações de professores nos boletins e cadernetas de alunos relapsos.

O pai, imigrante calabrês severo na educação dos filhos, comerciante de frutas no Mercado da Lapa, deu conselho, pôs de castigo, brigou, bateu, mas não conseguiu impedir a expulsão do filho da escola particular em que estudava. Para melhor vigiá-lo, levou-o para trabalhar consigo na barraca de frutas, iniciativa infrutífera porque o menino se envolveu numa querela que por pouco não acabou em pancadaria, ao falsificar um comprovante de jogo do bicho para um desocupado que perambulava pelo mercado.

Na adolescência, Buda se aproximou da malandragem que se reunia nos bares da região do largo da Lapa, com quem descobriu uma paixão que o acompanharia pelo resto da vida: o talão de cheques. Desenvolveu uma ligação tão paranoide com ele, que a simples visão de um cheque fazia o coração disparar, causava sudorese, tremedeira e lhe deixava as mãos geladas. Não tinha sossego enquanto não conseguia surrupiá-lo, caso contrário era obrigado a afastar-se sem olhar para trás, única maneira de controlar o surto de ansiedade. Parecia um viciado em cocaína na presença da droga.

Na vida adulta, gabava-se de falsificar com tanta perfeição documento de identidade, carteira de motorista, atestado de bons antecedentes e procurações para terceiros, que estava para ser fundado o cartório que não lhes reconhecesse a autenticidade.

Um dia, vendeu um passaporte pelo triplo do preço para um argentino procurado pela polícia, quantia paga em notas de cem, sem questionamento. De posse do dinheiro, correu para abrir uma conta num banco usando identidade falsa, com o objetivo único de conseguir o almejado talão de cheques.

O caixa pediu a ele que aguardasse enquanto consultava o gerente para acertar detalhes burocráticos. Voltou com dois policiais que o algemaram: as cédulas eram falsas.

Na delegacia, levantaram seu prontuário repleto de autuações por falsidade ideológica e estelionato. Por incrível que pareça, ainda assim conseguiu demover o delegado da intenção de prendê-lo, com o argumento de que nunca fabricara nem tinha condenações por falsificação de dinheiro e que, se soubesse da origem ilícita das notas, tentaria passá-las no comércio para pessoas incautas, jamais num banco.

Liberado, foi atrás do argentino. Encontrou-o fazendo a mala no quarto do hotelzinho da rua Aurora em que a transação do passaporte acontecera. Com a mão no bolso do blusão para fingir que estava armado, ameaçou matá-lo caso não lhe devolvesse o passaporte.

O golpista não tentou se fazer de inocente, pelo contrário, disse que Buda havia sido ingênuo em confiar num desconhecido que nem sequer pedia abatimento ao ser explorado. Para reparar o golpe, todavia, estava disposto a apresentar-lhe o espanhol falsificador daquelas notas; quem era capaz de fazer passaportes com tamanha perfeição ganharia fortunas numa sucursal da Casa da Moeda.

O espanhol era um homem de cabelos brancos, com um lápis atrás da orelha e diversas passagens por cadeias da Espanha e da América Latina, apaixonado pela profissão que aprendera na juventude, em Sevilha. Não se considerava um simples falsário, mas um artista que procurava aprimorar a técnica em cada trabalho que realizava. Muitas vezes passava horas com o copo de vinho a admirar a qualidade das notas recém-impressas, espalhadas na mesa ao lado das verdadeiras, para comparação. Se não ficava satisfeito com o resultado, jogava-as no fogo, mesmo que seus clientes tentassem convencê-lo a vendê-las. No novo aluno soube reconhecer o talento e a vontade de aprender.

Quando chegou no pavilhão Seis da antiga Detenção, Buda pediu para trabalhar na Seção Judiciária, pretensão negada para impedir o acesso de um estelionatário aos prontuários dos condenados. Foi designado para prestar serviços na copa dos funcionários, cargo que ocupou com competência e dedicação durante os três anos em que cumpriu pena. Bonachão bem-humorado, virou figura popular entre funcionários e companheiros de infortúnio.

Uma tarde, Buda veio com o café e um presente para Fausto e Narciso, carcereiros de plantão na sala da chefia do Seis:

— Trouxe duzentos para cada um dos senhores e mais trezentos para o chefe do pavilhão. Por favor, entreguem para ele.

Narciso não recebeu bem a oferta:

— Pegue de volta, não levo dinheiro para facilitar a vida de ninguém.

— Não peço nada em troca. É um agrado pela educação com que os senhores me tratam.

Deixou o dinheiro em cima da mesa e saiu da sala.

Narciso ainda quis devolvê-lo, mas foi impedido por Fausto:

— O cara não pediu envolvimento. Quer dar de mão beijada? É a cara dele, meu.

Na semana seguinte, Fausto foi chamado à sala de um dos diretores da cadeia. Cesário, um preso que trabalhava como auxiliar da diretoria, transmitiu-lhe a ordem:

— É para comprar esses produtos, senhor. Só vende na cidade.

Recebeu uma nota de mil, que nunca tinha visto, e uma folha de caderno com uma lista de produtos químicos, entre os quais acetona, éter, ácido, removedor e tintas de diversas cores.

Naquele tempo os funcionários eram proibidos de abandonar as dependências da Carceragem, o expediente devia ser cumprido integralmente no interior dos pavilhões. Quando recebiam uma ordem para ir à rua, todos se ofereciam como voluntários:

— Era a oportunidade de respirar longe daquele ambiente nefasto.

Por preguiça, Fausto não se dispôs a aceitar a incumbência, preferiu transferi-la para Mineirão, o primeiro colega por quem passou.

Quando Mineirão pegou a nota de mil, ficou desconfiado:

— Tá doido, sô. É falsa.

— Como assim? Veio da diretoria, cuidado com o que fala.

Diante da dúvida, Fausto sugeriu que fossem à tesouraria para esclarecer a questão.

No meio do caminho encontraram seu Shirodo, um dos diretores da Casa, e mostraram a cédula:

— É mais falsa do que uma nota de trinta. De onde veio?

Ao saber que viera de um preso que prestava serviços na diretoria, seu Shirodo se encarregou de descobrir a origem do problema.

Fausto pensou na hora: "Filho da puta desse Buda", e correu para o pavilhão para avisar Narciso, que tinha aceitado o dinheiro por interferência dele:

— O bagulho é louco, meu, o dinheiro do Buda era falso. Graças a Deus eu ainda não gastei.

O colega não tivera a mesma sorte, havia liquidado a conta do açougue:

— Puta que o pariu, Fausto, em dez anos de trabalho nunca peguei dinheiro. O açougueiro vai descobrir. Maldita hora que fui ouvir você.

— Calma, vamos lá no xadrez do Buda. Se ele deu esse chapéu em nós, eu penduro ele. Acabo com aquele desgraçado.

Buda coava um chá no fogareiro:

— Chegaram na hora — disse.

— Chegamos na hora de acabar com a tua raça, seu gordo do caralho — respondeu Fausto. — Pensou que ia fazer nós de trouxa e sair tirando uma?

— Posso saber de que assunto o senhor está falando?

Narciso falou do problema com a nota de mil, dos duzentos recebidos, com os quais pagara o açougueiro, e do arrependimento de ter nascido que o falsário sentiria por havê-los feito de idiotas.

Buda ouviu impassível. Tirou o coador do bule, serviu três xícaras e perguntou se preferiam açúcar ou adoçante.

— O dinheiro que eu dei para os senhores é quente, mano. Sou estelionatário, mas louco não. Mais a mais, estou fora do ramo de impressão. Agora, como tive um professor, ensino quem quer aprender e tem recursos para pagar meus honorários. O que meus pupilos vão fazer com os conhecimentos é eles na fita. Tô fora.

Os dois carcereiros ameaçaram levá-lo para o castigo na Isolada, se não declarasse quem eram os alunos. Buda citou quatro nomes, entre eles o de Cesário, responsável pelo pedido de compra do material.

No xadrez de Cesário foram encontrados frascos de tintas e outros produtos químicos, uma prensa, uma guilhotina afiada e grande quantidade de papel cortado no tamanho das cédulas de mil.

O palco do Chiquinho

Quando cheguei à Detenção, Rita Cadillac já era famosa por lá. Chamada carinhosamente de "Madrinha da Casa", era figura obrigatória nos eventos que o diretor de Administração, José Francisco dos Santos, o Chiquinho, organizava em datas festivas como Natal, Dia das Mães e Dia dos Pais.

Rita e eu ficamos amigos depois de um show armado no salão em que um dia funcionou o cinema da cadeia, no pavilhão Seis, destruído numa rebelião. Nesse salão, onde costumávamos fazer palestras sobre aids para trezentos a quatrocentos homens, naquela tarde de calor reunimos mais de mil, com o objetivo de comemorar o fim de uma campanha interna de combate ao uso de cocaína injetável e a entrega de prêmios aos autores dos melhores cartazes sobre o tema.

Acompanhada pelo Unidos por Acaso, grupo de pagode formado por detentos do pavilhão Oito, ela encenou um samba requebrado que arrancou da plateia gritos delirantes alternados com suspiros e silêncios prolongados, daqueles em que é possível ouvir um mosquito no salão. Quando desceu do palco, suada, de saia justa e blusa desabotoada, a multidão abriu espaço respeitoso como se uma rainha estivesse entre os súditos. Fiquei tão impressionado com a coragem e com o domínio que aquela mulher exercia sobre a massa carcerária, que descrevi essa cena no livro *Estação Carandiru*.

Chiquinho foi o diretor de Administração até o fim da Detenção, em 2002. Homem educado, de estatura baixa e comportamento contido, sua figura é oposta à do estereótipo do agente penitenciário. A aparência do burocrata desligado das mazelas do ambiente prisional esconde o funcionário competente que se tornou conhecedor profundo dos mandos e desmandos da administração pública. Se um dia decidisse revelar tudo o que viu e ouviu, colocaria em situação delicada muita gente graúda.

Tempos atrás, voltávamos de metrô para casa comentando a desonestidade de dois carcereiros que guardavam um dos portões internos. Com exceção dos que trabalhavam nas funções essenciais à manutenção da cadeia, preso nenhum passava de um pavilhão para outro sem pagar-lhes pedágio. Os preços eram módicos: dois ou três maços de cigarro, a moeda tradicional das cadeias.

— Corrupção miúda — disse Chiquinho. — Perto da que vem dos políticos é um dinheiro que não dá nem para a pinga.

Em nossas reuniões do Conselho é o que menos fala, mas, quando descreve acontecimentos do passado, costuma fazê-lo com detalhes tão precisos que surpreendem os próprios companheiros de mesa que participaram desses episódios.

Caçula de sete irmãos nascidos em Natividade da Serra, foi criado em Taubaté, também no interior de São Paulo. Começou a trabalhar cedo, no Departamento de Pessoal da CPI, uma fábrica de tecidos. Graças à facilidade no relacionamento com os colegas, foi eleito diretor social do Clube Atlético Cepeiense, função que incluía organizar os bailes de Carnaval com artistas convidados.

Tinha acabado de completar 25 anos quando leu num diário de Taubaté o edital de um concurso público para a admissão de agentes penitenciários.

Não tinha a menor ideia do trabalho que o esperava na Penitenciária do Estado, quando foi escalado para prestar serviço nos pavilhões. Pensou em desistir:

— Nunca havia passado na frente de uma delegacia. Quase fiquei louco.

O diretor-geral era Luizão, que se encarregou de fazer uma ronda para dar as primeiras instruções aos recém-concursados, três das quais Chiquinho guardou para sempre:

— Quando disserem que um preso vai escalar a muralha de costas, não acreditem, mas não custa dar uma olhada.

A segunda foi dada na frente dos chuveiros em que tomavam banho os detentos escalados para o trabalho nas hortas:

— Sabem por que as portas deixam esse vão na parte de baixo? Para vocês olharem. Se enxergarem quatro pernas e não for vaca, podem invadir que é pederastia.

A terceira foi particularmente inesquecível:

— Vocês têm ideia de como um preso olha para a natureza sem piscar?

Para mostrar, subiu com o grupo até o segundo andar do pavilhão Três. No fim da galeria havia um suicida enforcado nas grades da janela.

A carreira de agente em contato direto com os prisioneiros durou apenas dois meses, porque Luizão precisava de um secretário com noções de administração e que conhecesse datilografia, habilidade rara no presídio. Foi o início de uma parceria para a vida inteira.

Uma das atribuições do secretário era chamar os funcionários relapsos, os corruptos, os que bebiam demais e os que abusavam da violência, para comunicar-lhes que seriam transferidos para a "bagunça da Detenção", castigo que obrigava o agente a trabalhar numa cadeia bem mais desorganizada.

Um dia, ao chegar para a rotina diária, Chiquinho encontrou Luizão conversando no portão de entrada. Antes que se aproximasse, o diretor-geral perguntou:

— Onde pensa que vai? Você não trabalha mais aqui. Pode se apresentar na Detenção.

— O que eu fiz de errado?

— Nada. Fui nomeado diretor-geral daquele inferno. Você vai comigo.

Graças aos contatos no meio artístico, Chiquinho conheceu o apresentador Raul Gil, amizade que lhes permitiu realizar mais de trinta shows nos palcos armados no campo do pavilhão Oito, com a participação de artistas consagrados e outros menos conhecidos.

A cantora Alcione muitas vezes vinha do Rio para esses espetáculos; os sambistas Roberto Ribeiro, Leci Brandão e Elza Soares também. Moreira da Silva, o rei do samba de breque, gostava tanto de se apresentar para os detentos que precisava ser interrompido, como Chiquinho recorda:

— Uma vez, cantou em coro com eles durante uma hora e quinze, sem intervalo, uma música seguida da outra. Quase na hora da tranca, tive que subir no palco. A malandragem gostava tanto dele, que fui vaiado.

No auge de suas carreiras, Nelson Gonçalves, Altemar Dutra, Francisco Egydio e Angela Maria, cantores que enterneciam corações sonhadores, chegavam horas antes de entrar em cena, a tempo de almoçar com os funcionários e passear pela cadeia. Participavam ainda Agnaldo Timóteo, Martinha, Eliana de Lima e Lilian Gonçalves, que mais tarde se tornaria dona de todos os bares e restaurantes de uma das ruas de Santa Cecília. Tobias, puxador de samba que chegou a presidente da Vai-Vai, tinha o bom gosto de se apresentar ao lado das mulatas da escola, jovens exuberantes com o bico dos seios escondido atrás de um selinho colorido.

Raul Gil animava os espetáculos com bailarinas em trajes mínimos, à moda dos programas de auditório na TV. Nenhuma delas jamais foi desrespeitada, o ambiente era absolutamente familiar, mesmo quando as famílias estavam ausentes.

Num show realizado ao ar livre numa quarta-feira com a presença de mulheres e crianças visitantes, liberalidade que a direção da Casa só autorizava no meio da semana para premiar fases de bom comportamento coletivo, Rita Cadillac, que ousava levar a provocação sensual às últimas consequências, anunciou um striptease. Devagar, tirou a blusa, por baixo da qual havia um bustiê vermelho-sangue. Sem pressa, desabotoou a saia comprida que cobria outra bem curta, em seguida retirada com glamour e malícia depois de inúmeras idas e vindas com as cadeiras em movimentos sinuosos.

Nessa hora, pegou o microfone para chamar um voluntário disposto a ajudá-la a livrar-se da calcinha, manobra que jurava ser incapaz de executar por conta própria.

Subiu ao palco um malandro confiante que levou um tapa na mão apressada para realizar a tarefa:

— Não seja afoito, menino. Primeiro, preciso de um beijinho.

Quando ele se aproximou para beijá-la no rosto, Rita virou de costas, curvou o corpo e apontou para as nádegas com o indicador da mão direita. Meio sem graça, o rapaz deu o beijo. Ela sorriu:

— Agora, sim. Pode tirar, mas com os dentes.

Ele titubeou, mas acabou mordendo e abaixando a calcinha até expor a tanga que ela usava por baixo.

A malandragem acompanhava com interesse, mas percebi que só as mulheres riam, comentavam entre si e aplaudiram no final.

No dia seguinte, o malandro que subira ao palco precisou ser transferido às pressas para não pagar com a vida o que os companheiros consideraram atitude de desrespeito com as mães, esposas e namoradas presentes. Contra Rita, nenhuma palavra, como justificou Jurandir, o preso encarregado da Faxina do Oito:

— Ela é artista, está na dela. Ele é quem? Um vacilão que faltou com o procedimento. Tinha que ter dado o beijinho, pedido licença e descido do palco.

Em 1996, Chiquinho resolveu fazer um show especial, com a participação de muitos convidados. Como a Casa não dispunha do palco que precisava ser montado no Oito, ele recorreu aos amigos do Anhembi que sempre o socorriam nessas ocasiões, mas esbarrou num problema prático: eles precisariam do palco para um evento a ser realizado dois dias mais tarde.

A solução encontrada pela diretoria da empresa foi montar o palco para a festa da Detenção e desmontá-lo logo na manhã seguinte, para remontá-lo no mesmo dia no local do evento. Como o tempo era exíguo, a equipe encarregada da desmontagem deveria começar o trabalho às sete da manhã.

Como sempre, o espetáculo transcorreu sem intercorrências. Quando terminou, os visitantes se retiraram e os detentos foram recolhidos a seus respectivos pavilhões. Antes de ir para casa, Chiquinho tomou o cuidado de conversar com o chefe do Oito:

— Pelo amor de Deus, não deixa ninguém tirar nada do palco. O pessoal do Anhembi vem para retirar logo cedo.

O chefe do pavilhão tranquilizou-o:

— Não tem problema, daqui a pouco começa a tranca.

O diretor de Administração tinha razão para estar preocupado. As tábuas eram bens de primeira necessidade, podiam ser transformadas em bancos, cadeiras, camas, armários e o que mais sugerisse a imaginação criadora de gente desocupada; com as estruturas de ferro, renovariam o arsenal de facas e estiletes.

Chiquinho chegou pontualmente às sete da manhã e foi para sua sala. Às sete e meia, vieram avisá-lo que os funcionários do Anhembi o aguardavam na Portaria.

Depois de resolver os trâmites de identificação e controle, o grupo entrou empurrando o carrinho de ferramentas.

Quando cruzaram o portão que separava o Cinco do Oito, Chiquinho duvidou do que seus olhos enxergaram:

— O palco tinha sumido. Não sobrou um cisco sequer.

O túnel

— Chefe, fica esperto que tem tatu cavando solto.

Irani recebeu essa informação numa tarde de maio de 1996, na chefia do pavilhão Sete. O preso que a transmitiu era velho conhecido, já cumprira dez anos de uma condenação de mais de oitenta.

O chefe do pavilhão levou a sério. Calado, para não despertar suspeitas, vasculhou as dependências do térreo em que funcionavam as oficinas do Patronato, procurou falhas no chão da sala da Laborterapia, do atendimento médico, da barbearia e da capela, olhou no poço do elevador e em todos os lugares possíveis sem encontrar o menor sinal da boca de um túnel.

No dia seguinte, foi até a sala do diretor de Disciplina:

— Recebi uma informação que me fez passar o dia atrás de um maldito túnel.

— É melhor juntar os funcionários do pavilhão e olhar tudo de novo.

Um grupo saiu pela direita, outro pela esquerda, para dar

a volta completa no pavilhão. Arrastaram máquinas, bancadas de trabalho, mesas e cadeiras, o altar com os santos, o púlpito da Assembleia de Deus, arrancaram os vasos sanitários dos dois banheiros, bateram com cano nas paredes para ouvir se estavam ocas, examinaram a pintura em busca de sinais recentes, reviraram tudo. Quando os homens se encontraram no meio do caminho, inverteram o sentido para que uns percorressem a trilha feita pelos outros.

Desanimado, Irani achou por bem mudar a estratégia:

— Não é possível, mano. Vamos chamar os colegas do Oito, do Nove e do Cinco para ajudar numa revista geral.

Na manhã do outro dia, ninguém abriu as celas. Com os homens trancados, a revista foi minuciosa, atrás de alguma ferramenta, fios de eletricidade, lâmpadas, gerador improvisado, sacos ou qualquer vestígio de terra. Nada.

Três ou quatro dias mais tarde, o diretor de Disciplina mandou chamar Irani:

— Meu, a caguetagem é forte: tem que achar o túnel.

— Meu Deus do céu, já viramos o pavilhão de cabeça para baixo. Meu pessoal passa o dia procurando, está todo mundo neurótico por causa desse buraco.

Irani saiu da sala do diretor e foi direto para o pavilhão Oito, atrás de Osmar e Mavi, funcionários experientes com quem havia trabalhado vários anos:

— Preciso de ajuda. Quem sabe vocês enxergam o que nós não vemos.

Às cinco da tarde, os dois apareceram. Os funcionários do Sete abriram todas as salas do térreo. Feito perdigueiros, primeiro Mavi, depois Osmar, examinaram canto por canto. No fim, concluíram que era muito improvável haver um túnel que não deixasse o menor indício da boca de entrada.

Irani não se deu por vencido. Na manhã seguinte manteve

novamente os xadrezes trancados, chamou os colegas de outros pavilhões e organizou uma revista geral mais minuciosa ainda, do quinto andar até o primeiro. Quando chegaram no térreo, ordenou:

— Agora, vamos olhar tudo de novo. Não é para ir meia dúzia pra cá e meia dúzia pra lá, como da outra vez. Vai todo mundo junto. Quebra o que precisar, a responsabilidade é minha. É tudo no meu peito.

Só pediu para não mexerem no material pertencente à firma que trazia as bolas de futebol para costurar. Se tivessem prejuízo, poderiam romper o contrato e acabar com os empregos a duras penas conseguidos.

Os funcionários levaram a ordem ao pé da letra. Arrebentaram pisos e paredes suspeitas das oficinas do pavilhão, arrastaram todos os armários, arrancaram até o espelho da barbearia.

Quando terminaram, Irani pediu a eles que assinassem um ofício descrevendo a operação, para dar ciência à diretoria.

Domingo à noite, ele assistia ao *Fantástico* com a família quando o telefone tocou. Era Paulinho, carcereiro de plantão no Sete:

— Chefe, recebi uma caguetagem quente: a fuga está perto de acontecer.

O chefe não reagiu com palavras amenas:

— Puta que o pariu, caralho. Cadê essa porra desse filho da puta de túnel, que ninguém acha? Junta o nosso pessoal e revista tudo outra vez, quem sabe apareceu uma pista nova.

Preocupado, às dez horas ligou para o diretor que respondia pelo plantão noturno, Carlos Rita, funcionário competente e respeitado pela retidão de caráter. Explicou o que se passava, a agonia dos últimos dias, e pediu ao colega que organizasse uma busca com todos os funcionários disponíveis. Disse que iria imediatamente para lá. Carlos tranquilizou-o:

— Domingo à noite? Vem aqui fazer o quê? Deixa comigo. Ou você não confia? Se eu não ligar de volta é porque não achei nada.

Não ligou. Irani foi para a cama mais tranquilo, mas custou a pegar no sono.

Ao chegar segunda cedo, encontrou em sua mesa um relatório assinado por Carlos Rita para ser encaminhado ao diretor-geral, com o nome dos funcionários que participaram da operação.

Na quinta-feira, Reizinho, funcionário do Sete, veio conversar com o chefe:

— Chefe, eu já não vinha dormindo bem, mas essa noite perdi o sono por causa desse tatu.

— Já fizemos de tudo, meu. O único jeito é pensar numa saída radical.

Pensaram em duas. A primeira foi requisitar uma retroescavadeira na Regional da Prefeitura. A outra, pedir uma mangueira emprestada para o Corpo de Bombeiros, com a finalidade de encher o campo de água e fazer o túnel desmoronar, estratégia empregada com sucesso no passado.

Enquanto Reizinho encaminhava os ofícios para os Bombeiros e a Regional, Irani recebia a informação de que a fuga ocorreria no Dia das Mães, no fim de semana que estava para começar.

Sem tempo hábil para aguardar a chegada do equipamento solicitado, preparou a investida final. Na sexta cedo reuniu seus comandados:

— Quebrem tudo o que estiver na frente. Esses caras não são mais espertos que nós.

Armados com pedaços de ferro obtidos nas oficinas de Manutenção, eles deram início ao quebra-quebra, dispostos a não deixar um palmo de cimento intacto.

Quando os funcionários Luizinho, Mortadela e mais três colegas chegaram perto da sala de Laborterapia, foram cercados por um grupo armado com facas. Ao perceber que o plano seria desmantelado, os presos haviam antecipado a fuga.

Irani tomou um baque:

— O bagulho é desesperador. Já tinham fugido 51 homens. Naquele ano, fui o funcionário campeão de fugas de todo o Sistema Penitenciário brasileiro.

As paredes da sala de Laborterapia tinham mais de meio metro de espessura; a umidade que subia do solo espalhava manchas emboloradas em toda a sua extensão. Estrategicamente, atrás da porta de entrada, os fugitivos tinham feito um pequeno corte no concreto da parede, para dar acesso à boca do túnel. Limitada à metade da espessura da parede, pela abertura mal passava um homem de cada vez para trabalhar na escavação. Depois que entravam, a pedra era recolocada em seu lugar, rebocada e chapiscada na mesma cor, que a umidade disfarçava. O local não poderia ser mais insuspeito.

Foi uma obra de engenharia: passou por baixo da muralha, da rua, e saiu no quintal de uma casa em frente, para espanto dos moradores diante dos homens sujos de terra que emergiam do buraco. Na estrutura que dava suporte às paredes do túnel foram encontradas as madeiras e os ferros roubados do palco do Anhembi.

Mais tarde, ficou claro que o plano havia sido arquitetado por Ari, um ladrão que já estivera preso no Sete e conhecia o traçado de um túnel antigo que fora descoberto e tivera a boca lacrada naquela oportunidade. A terra da escavação foi jogada para as laterais do túnel, que davam acesso às partes ocas existentes sob o prédio do pavilhão, construído num aterro na década de 1950.

No Dia das Mães, com mais de mil mulheres e crianças espalhadas pelo térreo dificultando o controle, teriam fugido centenas de homens. A antecipação do dia D reduziu o número dos que puderam ter acesso à saída. Um dos fugitivos, obeso, que entalou na entrada sem que os outros conseguissem empurrá-lo para a frente nem puxá-lo para trás, limitou o número dos que lograram escapar.

Chefe do pavilhão, Irani foi chamado para depor diante do diretor-geral da Detenção, do coordenador-geral dos presídios da capital e da corregedora. Pouco antes, encontrou Flávio, colega de trabalho, que procurou prepará-lo para o pior:

— Irmão, você está numa fria do caralho. O secretário vai jantar você. Exoneração vai ser pouco.

— O que é isso, mano? Não dei fuga pra ninguém.

— Quando eu trabalhava na Penitenciária, quinze caras escalaram a muralha. O PM enquadrou na metralhadora e mandou todos de volta para dentro. Sem fugir ninguém, peguei duas semanas de suspensão, imagino você.

Ao depor, Irani tirou de uma pasta os documentos enviados para a diretoria, com os relatórios das buscas e revistas efetuadas no térreo e nas celas do pavilhão, nos quais constavam os nomes dos funcionários que delas participaram. Anexou, também, cópias dos requerimentos encaminhados ao Corpo de Bombeiros e à Regional, e concluiu:

— Posso dormir com a consciência tranquila. Se tivesse morrido algum dos meus homens, eu ia sofrer pelo resto da vida, mas graças a Deus não aconteceu.

Quando retornou ao pavilhão, seus comandados o aguardavam:

— Chefe, nós também fomos chamados para depor. O que vamos dizer?

— Falem aquilo que têm que ser dito: a verdade.

Passaram-se os meses. Nos dias de folga, Irani e Luizinho faziam bico como seguranças na SSG, empresa situada nas imediações do campo da Portuguesa, no Canindé. Uma tarde em que ia de carro para o trabalho, ele reconheceu na calçada um homem de terno azul-marinho e gravata:

— Me deu até tremedeira: era o Ari.

Como estava a uma quadra da SSG, achou melhor confirmar o reconhecimento com Luizinho. Quando se aproximaram do local, Luizinho foi categórico:

— Certeza absoluta.

Irani ligou para o Copom, o Centro de Operações da Polícia Militar, contou quem era ele e o homem de terno na calçada, que precisava ser preso antes de desaparecer.

Do interior de seu carro, viu a viatura chegar, abordar o suspeito e examinar os documentos, mas estranhou a duração da conversa. Ligou novamente para o Copom:

— Mocinha, o cara está dando documento falso. Tenho certeza que é ele.

Em seguida ouviu o rádio da viatura chamar, o mais graduado dos dois PMs atendê-lo e olhar detidamente na direção do carro em que ele e Luizinho estavam.

O suspeito foi colocado na viatura. Irani os seguiu.

Ao chegarem à delegacia, o carcereiro desceu para falar com o sargento:

— Esse cara é o chefe do bando que escapou pelo túnel da Detenção. Posso ir lá e pegar a fotografia dele.

O sargento acalmou-o:

— Não tem necessidade, vamos apurar. O senhor nem precisa se dar ao trabalho de aparecer por aqui.

Irani diz que naquela noite um mau presságio o fez perder o sono:

— Eu tinha que ter falado com o delegado. Ele precisava saber que eu estava a par da fita e era a testemunha da prisão.

Na manhã seguinte, foi direto à sala do diretor de Segurança da Detenção, que ligou imediatamente para a delegacia:

— Vocês estão com um preso que comandou uma fuga daqui.

Deu o nome completo, descreveu o porte físico, o terno, e

informou a cor da gravata. Responderam que não havia ninguém com aquelas características ali. O diretor insistiu até o interlocutor ficar irritado do outro lado da linha.

Irani não se conforma até hoje:

— Devia ter chamado o diretor da cadeia, na hora, para testemunhar a prisão e evitar o suborno. Fiquei mais mordido do que quando fugiram os 51.

A implosão

A sociedade faz questão de ignorar o que se passa no interior dos presídios. Tem lógica: se todos concordam que a finalidade da pena é apenas castigar os que cometeram delitos, por que haveria interesse em assegurar condições mais dignas de aprisionamento?

Nossas cadeias são construídas com o objetivo de punir os marginais e de retirá-los das ruas, não com o intuito de recuperá--los para o convívio social. Preocupações de caráter humanitário com o destino dos condenados só ganharão força no dia em que os criminosos das famílias mais influentes forem parar nas mesmas celas que os filhos das mais pobres.

O caso do Carandiru é representativo. Aquele conjunto de prédios com mais de 7 mil homens e quase mil funcionários, em plena avenida Cruzeiro do Sul, a quinze minutos da praça da Sé, tinha para a cidade a mesma importância que uma craca grudada no casco tem para o resto do navio, como um dia escreveu com propriedade o jornalista Pedro Bial.

O que a comunidade esperava das autoridades penitenciárias era que os problemas criados no interior da cadeia ficassem circunscritos às muralhas; os meios empregados não eram da conta de ninguém, contanto que não viessem a público.

Até a morte dos 111, a Detenção só havia aparecido nos noticiários de rádio e TV e nas primeiras páginas dos jornais por ocasião da tentativa de fuga à mão armada que ocorreu em 1982. Descontado esse episódio, os comentários da imprensa ficavam restritos às colunas policiais dos jornais populares, ainda assim quando aconteciam rebeliões ou fugitivos que escapavam inexplicavelmente pela porta de entrada ou por túneis construídos com astúcia cinematográfica.

É inacreditável que um presídio daquelas dimensões tenha permanecido em anonimato silencioso por quase meio século, a despeito do entra e sai diário dos caminhões de entrega para prover as necessidades de uma população maior que a de muitas cidades, acrescido das filas quilométricas formadas por milhares de mulheres e crianças nos fins de semana, numa das avenidas mais movimentadas de São Paulo.

A única explicação para esse fenômeno está na invisibilidade social reservada aos excluídos.

Todos os dias chegavam detidos e saíam em liberdade dezenas de homens, muitos dos quais responsáveis pelos sequestros, assaltos e homicídios que roubam a tranquilidade das ruas. Como essa "escória social" tem suas origens na periferia da cidade, bairros e vilas por onde um bem-nascido jamais se aventura, seus membros enfrentam preconceito duplo: o primeiro por viver fora da lei, o segundo por ser pobre. Se tiverem pele escura, então, a discriminação será tripla.

Se os consideramos todos iguais, bandidos perversos e impiedosos, independentemente do que tenham feito ou deixado de fazer, por que motivo nos importaríamos com a sorte dessa laia? Que mofem como feras enjauladas até que a morte os leve para as profundezas do inferno. Dar-lhes comida e moradia gratuita já não é um fardo insuportável que o mundo civilizado nos obriga a carregar?

Dias antes da tentativa de fuga à mão armada de 1982, Luizão dissera a seus assessores:

— Se um dia eu cair refém, tudo tem que ser resolvido aqui dentro, sem ninguém abrir os portões.

Foi um dos mais corajosos e destacados diretores da história das prisões paulistas, não por acaso escolhido para a função. Cabia ao diretor-geral detectar e pôr fim aos conflitos antes que a sociedade tomasse conhecimento deles, orientação transmitida a todos os subalternos. Manter os presos encarcerados e a cadeia longe dos noticiários era o que as pessoas de bem esperavam dos homens encarregados de administrar o Sistema Penitenciário.

Então, veio o massacre do pavilhão Nove, em outubro de 1992, quando uma briga entre duas quadrilhas gerou um confronto de facas com meia dúzia de mortes no decorrer do qual os detentos começaram a depredar as instalações. Por inexperiência, os presos não fizeram reféns, imprudência de consequências desastrosas.

Qualquer carcereiro mais velho teria tomado as medidas de rotina: cortar luz e água e aguardar o dia seguinte para negociar a rendição. Sem reféns, que pressa haveria? Com os ânimos mais serenos bastaria conversar.

Era o que o dr. Ismael Pedrosa, diretor-geral que andava pelo presídio como se estivesse no quintal de casa, tentava fazer junto ao portão que dava acesso ao Nove, quando foi empurrado contra a parede pela tropa da PM que invadia para dar início à repressão mais sangrenta da história das cadeias brasileiras.

Foi naquele momento que Osmar, funcionário-chefe do vizinho pavilhão Oito, comentou com Araújo:

— Invadir o Nove no escuro! Os cara perderam a cabeça, mano?

Loucos não eram os militares com os cachorros e as metralhadoras, mas a autoridade que ordenou aquela invasão intempestiva com o objetivo de "controlar a rebelião a qualquer preço", para em seguida esconder-se na covardia do anonimato.

Daquela noite de chuva para o dia, o Carandiru se tornou o presídio mais famoso do mundo.

A cadeia jamais foi a mesma. Diretor andar pelos pavilhões como vi o dr. Pedrosa fazer no próprio dia 2 de outubro, nunca mais; presos fazerem exigências fora de propósito e afrontarem funcionários virou rotina. Nos primeiros dias depois da tragédia, Valdemar Gonçalves, diretor do Departamento de Esportes, ao sair do pavilhão no fim do expediente foi abordado por Barra, um traficante respeitado e temido pelos companheiros:

— Eu acompanho o senhor até o portão que dá para a Divineia. O ambiente está esquisito. Não quero que aconteça nada, o senhor não merece.

Não foi o único a sair escoltado pelos próprios detentos, inversão de papéis inimaginável semanas antes.

Cientes de que o Estado saíra enfraquecido do episódio e de que não haveria condições políticas para nova repressão armada, os detentos mais experientes formaram coalizões para assumir o poder, esse espaço abstrato que os homens jamais deixam desocupado.

De acordo com os princípios que Charles Darwin estabeleceu há mais de um século e meio, na competição fratricida que se desenvolveu entre as diversas facções predominou a mais forte, que em poucos anos imporia suas leis na maioria dos presídios paulistas e em parte significante das ruas desassistidas dos bairros periféricos de São Paulo.

A decisão de implodir o Carandiru foi fruto da má notoriedade adquirida. Ao contrário de épocas anteriores, agora tudo o que lá acontecia virava manchete no noticiário.

Depois de muitos anos sem investir na criação de novas vagas, os dois últimos governos estaduais daquele período haviam construído diversas cadeias na capital e no interior, mais modernas e bem equipadas. Esse esforço, no entanto, ficava ofuscado pelo interesse da imprensa a respeito da Detenção, local antiquado e problemático que denegria a imagem do Sistema Penitenciário paulista.

No dia da implosão reuni um grupo de funcionários antigos na lanchonete do último andar de um prédio da avenida Ataliba Leonel, com visão panorâmica da cadeia. O ambiente era de excitação nostálgica movida a cerveja; todos faziam comentários, contavam histórias e recordavam experiências vividas durante os anos de trabalho naquele local. Quando os alto-falantes levaram ao ar as vozes distantes do secretário de Assuntos Penitenciários e do governador, a animação emudeceu. No fim, lado a lado, todos em pé junto à sacada do prédio, ouvimos a contagem regressiva que precedeu as explosões.

Em segundos, os pavilhões requebraram e ruíram desajeitados como se mãos descomunais lhes tivessem arrancado as pernas. Das entranhas do monstro de concreto e ferros retorcidos subiu uma nuvem alaranjada de poeira densa que se propagou pela Ataliba Leonel, na direção do Alto de Santana.

No silêncio comovido da sacada, Valdemar murmurou:

— Não precisava ter sido assim.

Fábricas de ladrões

As fábricas de ladrões, traficantes, assassinos, estupradores e falsários jogam mais profissionais no mercado do que sonha nossa vã pretensão de aprisioná-los.

Lugar de bandido é na cadeia, diz o povo. Todos os que trabalham em cadeias concordam que não tem cabimento deixar solto alguém que mata, assalta ou estupra, mas fazem um reparo ao dito popular: lugar de bandido é na cadeia, mas é preciso haver vaga.

Para dar ideia das dimensões do problema que enfrentamos neste momento, basta analisar os números do censo de 2012, realizado pela Secretaria de Assuntos Penitenciários nas 150 penitenciárias e nas 171 cadeias públicas e delegacias de polícia espalhadas pelo estado.

Apenas para reduzir a superlotação atual e retirar os presos detidos em delegacias e cadeias impróprias para funcionar como tal, São Paulo precisaria construir imediatamente 93 penitenciárias.

Para Lourival Gomes, secretário da Administração Penitenciária quando foi realizado o censo, cuja carreira acompanho desde os tempos do Carandiru, profissional a quem não faltam credenciais técnicas e a experiência que os anos trazem, imaginar que o problema da falta de vagas será resolvido com a construção de prisões é ilusão.

Tem toda a razão, é guerra perdida. Só para dar um exemplo: no mês de janeiro de 2012, o sistema prisional paulista recebeu a média diária de 121 presos novos, enquanto foram libertados apenas cem. Ficaram encarcerados 21 a mais todos os dias, contingente que agrava o déficit de vagas conforme o tempo passa.

Como os presídios novos têm capacidade para albergar 768 detentos, seria necessário construir um a cada 36 dias, ou seja, dez por ano.

Esse cálculo não leva em conta o aprimoramento técnico da polícia. Se a PM e a Polícia Civil conseguissem realizar o sonho da sociedade brasileira, prendendo marginais com a eficiência dos policiais americanos — 743 para cada 100 mil habitantes —, seria preciso erguer uma penitenciária a cada 21 dias.

Agora, analisemos as despesas que as construções demandam. No primeiro semestre de 2012, pôr uma cadeia em pé consumia 37 milhões de reais, o que dá perto de 48 mil reais por vaga. Para criar uma única vaga, gastamos mais da metade do valor de uma casa popular com sala, cozinha, banheiro e dois quartos, com a qual é possível retirar uma família da favela.

Esse custo, no entanto, é irrisório quando comparado aos de manutenção. Quantos funcionários públicos há que contratar para cumprir os três turnos diários? Quanto sai por mês fornecer três refeições por dia à massa carcerária? E as contas de luz, água, material de limpeza, transporte, assistência médica, jurídica? E os gastos envolvidos na administração?

Se nossa polícia fosse bem paga, treinada e aparelhada de modo a mandar para detrás das grades todos os bandidos que tornam perigosas nossas cidades, estaríamos em maus lençóis. Os recursos para mantê-los viriam do aumento dos impostos? Dos cortes nos orçamentos da educação e da saúde?

Então, o que fazer?

Por mais difícil que pareça, será preciso agir em três frentes. A primeira é tornar a Justiça mais ágil de modo a aplicar penas alternativas e facilitar a progressão para o regime Semiaberto no caso dos que não oferecem perigo à sociedade, além de colocar em liberdade os que já pagaram por seus crimes mas não possuem recursos para contratar advogado.

A segunda seria a individualização do cumprimento da pena. Hoje, o menino que cometeu um deslize vai parar no mesmo Centro de Detenção Provisória que um chefe de facção com dezenas de crimes no prontuário. A convivência fará o profissional trilhar o bom caminho ou contaminará o principiante?

A terceira, muito mais trabalhosa, envolve a prevenção. Se a produção das fábricas de bandidos não diminuir, jamais haverá paz nas ruas.

Na periferia das cidades brasileiras, milhões de crianças vivem em condições de risco para a violência. São tantas que é de estranhar o pequeno número que enverada pelo crime.

Nossa única saída é oferecer-lhes qualificação profissional e trabalho decente, antes que sejam cooptadas pelos marginais para trabalhar em regime de semiescravidão e morrer cedo. Há iniciativas bem-sucedidas nessa área, mas são poucas diante das proporções do drama social. É necessário um grande esforço nacional, que envolva as diversas esferas governamentais e mobilize a sociedade inteira.

Como parte dessa mobilização é fundamental levar o planejamento familiar para os estratos sociais mais desfavorecidos. Negar a eles o acesso à lei federal que lhes dá direito ao controle da fertilidade pelo SUS é a violência mais torpe que a sociedade comete contra a mulher pobre. Perto de 50% dos bebês nascidos no Brasil pertencem à classe E, aquela com renda per capita de até 75 reais.

O lema "lugar de bandido é na cadeia" é vazio e demagógico. Não temos nem teremos prisões suficientes.

Reduzir a população carcerária é imperativo urgente. Não cabe discutir se somos a favor ou contra: não existe alternativa. Empilhar homens em espaços cada vez mais exíguos não é mera questão de direitos humanos, é um perigo que ameaça a todos nós. Um dia eles voltarão para as ruas.

Fuga sangrenta

Quando a porta foi aberta a pontapés e Gringo avançou com o revólver até encostá-lo no ouvido do diretor à cabeceira da mesa, Luizão teve certeza de que seus dias chegavam ao fim. Não lamentou a sorte, pelo contrário, achou que a merecia.

Naquela segunda-feira havia saído com a esposa, da casa em que moravam nas dependências da Penitenciária do Estado, na viatura conduzida pelo motorista que os levava todas as manhãs: ele, diretor-geral, para a Casa de Detenção; ela, para a Funap, a Fundação de Amparo ao Trabalhador Preso, situada numa construção que fazia parte do complexo prisional.

No portão de entrada do Carandiru, aguardava-os o funcionário Santiago, como de costume. Dra. Auta Wolfmann, a esposa de Luizão, recomendou-lhe o de sempre:

— Tome conta de meu marido, não deixe que nada de mau lhe aconteça. E parem de lutar boxe, não aguento mais ver vocês dois com a cara arrebentada.

Os dois, de fato, lutavam boxe no ringue armado por Luizão

no pátio interno que dava acesso a todos os pavilhões, a Divineia, local de renhidas contendas das quais participavam os presos que gostavam de lutar. Falam as más-línguas que Luizão convidava alguns deles para o embate com a intenção de infligir-lhes castigo, conduta que ele nega peremptoriamente. Acredito nele, foi exímio lutador profissional na categoria meio-pesado, defensor do boxe como prática esportiva capaz de impor disciplina e recuperar os que tinham enveredado pelos caminhos da delinquência. Treinou vários detentos que se tornaram profissionais, foi aluno de Kid Jofre, pai do primeiro campeão mundial brasileiro, Éder, e conviveu com a elite do boxe paulista durante muitos anos.

O jovem Santiago, uma espécie de guarda-costas do diretor, função que dividia com Adãozinho, homem forte de olhar calmo, respondeu com o sorriso habitual:

— A senhora não se preocupe. Se tentarem matá-lo, a bala será primeiro para mim.

Como tantos colegas de trabalho, Santiago fez o sinal da cruz ao atravessarem o portão de entrada.

Quando o diretor-geral chegou em sua sala, dois assessores o aguardavam:

— Doutor, descobrimos o paradeiro do preso que fugiu. Deixa a gente ir buscar.

Depois de argumentar diversas vezes que não lhes cabia essa responsabilidade, função da polícia, de quem os dois agentes não esperavam a urgência necessária, o diretor cedeu:

— Tudo bem, mas, se souber que vocês deram um tiro em qualquer direção, seus desgraçados, mando os dois para os quintos dos infernos.

A manhã seguiu igual às outras. Perto do meio-dia, um casal de advogados trouxe um convite para um evento jurídico organizado com o objetivo de discutir o tema da criminalidade. Quando mencionaram o nome de uma deputada estadual que estaria na mesma mesa-redonda, ele se desculpou, alegando ter um compromisso fora da cidade naquela data. Por delicadeza, no entanto, convidou-os para almoçar.

O almoço da diretoria acontecia no térreo do pavilhão Dois. O refeitório tinha uma mesa para vinte pessoas e se comunicava com a cozinha através de um guichê amplo pelo qual passavam os pratos preparados por um grupo de detentos privilegiados, sob o comando de Pudim, talvez o preso mais influente da cadeia.

Digo privilegiados porque Pudim e seus subordinados trabalhavam em contato direto com a diretoria, que poderia eventualmente ajudá-los com a papelada necessária para recuperar a liberdade, além de terem acesso aos alimentos que contrabandeavam para vender dentro do presídio e presentear amigos e funcionários.

Almoçavam com o diretor-geral, os médicos e os dentistas de plantão, o dr. Walter Hoffgen, diretor de Segurança, os assessores mais próximos e um ou outro visitante convidado. Na época de Luizão, ninguém sentava ou levantava antes dele, não por imposição sua, mas por provável herança dos tempos do Coronel, a quem substituíra.

Naquela segunda-feira fatídica, além do casal de advogados e dos auxiliares do diretor, estavam à mesa um capitão e um tenente do quartel vizinho, responsável pela vigilância nas muralhas.

A descontração do almoço foi interrompida por estampidos de revólver vindos de muito perto. Imediatamente, a porta foi escancarada com um pontapé e entraram sete membros de uma quadrilha de assaltantes de banco, três dos quais com um trinta e oito na mão, aos berros, anunciando que estavam decididos a fugir. Gringo, o chefe deles, foi justamente o que encostou o revólver na cabeça de Luizão e lhe transmitiu a certeza de que morreria daquela vez, merecidamente.

Um dos rebelados subiu na mesa e chutou para os quatro cantos todos os pratos e travessas. Os invasores que estavam desarmados se apoderaram dos facões usados pelos cozinheiros, imóveis desde o início da confusão, em conformidade com um dos mandamentos da vida no crime: "Cada homem com seu destino".

Na entrada haviam atirado no peito de Santiago e no rosto de Adãozinho, que morreu no mesmo instante, enquanto o colega agonizava e perguntava pelo chefe. Os detentos soltos no pátio que tentaram socorrê-lo foram agredidos pelos amotinados.

Dos setecentos homens do pavilhão apenas cinco aproveitaram a oportunidade para juntar-se aos sete envolvidos na fuga.

Alertados pelos tiros, os policiais militares de guarda na muralha começaram a disparar na direção da janela da sala de almoço, aumentando o medo dos que estavam lá dentro.

Por causa das balas que arrebentavam os vidros, Gringo amarrou uma corda na cintura de Luizão, segurou-a pela extremidade, encostou o revólver em sua nuca e ordenou que chegasse à grade de entrada do pavilhão para intimar os PMs da muralha a interromper os disparos. Para intimidá-lo, cutucaram-lhe a parte de trás da cabeça com um dos facões, e o sangue escorreu pela roupa.

Ao aproximar-se da entrada do pavilhão, Luizão viu o corpo de Adãozinho inerte junto à porta da sala de almoço. Um dos rebelados chutava a cabeça ensanguentada do funcionário morto, como se ela fosse uma bola de futebol. Uma onda de ódio tomou conta do espírito do diretor, que murmurou para si mesmo:

— Eu mereço morrer, Adãozinho não. Esses filhos da puta vão pagar por essa iniquidade.

Mal chegou à porta do pavilhão, uma bala ricocheteou na grade e se alojou na parede, a um palmo de seu corpo. Não fosse o desvio providencial, seria atingido no peito. Só então ele se deu conta de que inadvertidamente vestia calça bege, a mesma cor do uniforme dos presos.

— Nem do diretor eles estão livrando a cara — observou Gringo, agarrado à ponta da corda.

Quando voltaram para o refeitório, chegaram mais dois funcionários baleados, perdendo sangue, que foram jogados no meio dos dezoito reféns sentados um do lado do outro, próximo à parede do fundo. Entre eles, o capitão e o tenente da PM. Somente Luizão permaneceu junto à porta.

O capitão tomou a iniciativa:

— Se meus homens atiraram até no diretor, ninguém escapa vivo daqui. A única alternativa é me deixar sair para mandar suspender o tiroteio.

Os presos acharam a proposta razoável. Os dois militares sairiam, dariam a ordem e providenciariam uma viatura para que os fugitivos pudessem cruzar o pátio interno e ganhar a rua pelos portões de entrada.

Enquanto aguardavam, tomaram a precaução de amarrar as mãos de Luizão atrás das costas. Agitados, eles se alternavam na posse dos revólveres e facões, apenas Gringo não participava do rodízio, com o revólver sempre apontado para a cabeça do diretor-geral.

Minutos mais tarde estacionava junto ao portão do pavilhão a viatura do próprio diretor, que, ao vê-la, explicou com voz calma:

— Eu não entrava nessa. Esse carro está caindo aos pedaços, já me deixou na rua várias vezes. Vocês não vão longe.

— Então, eles que mandem um helicóptero. A gente sobe para o teto do pavilhão — gritou Gringo.

Enquanto o pavor tomava conta do refeitório, o secretário da Justiça estava reunido na sala da diretoria com assessores civis e militares. A PM cercava o presídio. Os tiros vinham de todos os lados.

O tempo passava sem que o helicóptero se aproximasse; os presos ficavam cada vez mais agitados e ameaçadores.

Luizão interferiu outra vez:

— É melhor vocês me desamarrarem, está muito apertado.

Tenho problemas de circulação. Se eu desmaiar, quem vai negociar a fuga com o secretário?

Zinho, que nos assaltos a banco ficava encarregado de atirar nos seguranças que esboçassem reação, advertiu os companheiros:

— Cuidado. Além de boxeador, ele é muito treteiro.

O diretor não se fez de rogado:

— Estão com medo do quê? Vocês com facão e revólver, e eu desarmado. É só dar um tiro, e pronto. Tudo acabado, conforme eu já esperava.

Enquanto desatavam a corda, Gringo engatilhou o revólver na cabeça do diretor-geral:

— Vai na minha, senão vai sobrar.

Pelo telefone, o secretário chamou Luizão, que o pôs a par dos acontecimentos. Quando quis saber se um helicóptero para a fuga garantiria a segurança dos reféns, Luizão ficou mudo e desligou.

As negociações entraram em ponto morto. Furiosos com a demora, os ladrões ameaçavam matar um refém a cada cinco minutos.

Calmo como se estivesse em casa, o diretor sugeriu que liberassem a advogada que trouxera o convite do evento, para que servisse de mediadora e apressasse o acordo com as autoridades. Um dos bandidos advertiu os companheiros em voz alta:

— Ele está tirando uma com a nossa cara, só para ganhar tempo. Mata ele logo, Gringo.

Sem mover um músculo da face, Luizão acrescentou como se falasse sozinho:

— Para mim, dez ou vinte bandidos a mais na rua não faz a menor diferença.

A advogada saiu, mas não retornou.

A tensão já estava insuportável quando Manezinho entrou mancando, com dois facões nas mãos e uma bala no tornozelo:

— Filhos da puta. Alguém vai pagar. Doutor Luizão, o senhor já era.

Todos o conheciam: era o macumbeiro que dirigia o Setor de Umbanda do pavilhão Nove. Com cara de bravo, ele se aproximou do diretor e armou o golpe para desfechar as duas facadas ao mesmo tempo, mas parou com as armas no ar:

— O senhor é filho de Ogum?

Luizão tinha uma medalha de São Jorge no pescoço. Manezinho bateu um facão no outro com tanta fúria que a faísca produzida quase atingiu os olhos do diretor. Virou-lhe as costas e saiu da sala.

Para desanuviar o clima, Luizão sugeriu que enviassem alguém de sua confiança para pedir ao secretário que apressasse a chegada do helicóptero. Os ladrões concordaram. Lentamente, o diretor passou os olhos no grupo assustado junto à parede. Havia duas mulheres, Penha, sua secretária, que mais tarde seria diretora da Penitenciária Feminina, e Vera, chefe de seção, além de Walter Hoffgen e demais assessores, de um médico, do advogado visitante e dos dois feridos. Ficou com a impressão de que sob seu olhar cada um esticava o pescoço para ser escolhido.

José Francisco dos Santos, o Chiquinho, seu auxiliar desde a diretoria na Penitenciária do Estado, foi designado para a tarefa. Chiquinho, diretor administrativo da Detenção, cargo que exerceu até a implosão do presídio, era quem organizava os shows com Raul Gil, Rita Cadillac e outros artistas que se apresentavam em ocasiões festivas no palco armado no pavilhão Oito.

Foi escolhido porque Luizão tinha duas certezas: ele não voltaria e transmitiria ao secretário o que haviam combinado por casualidade na quinta-feira anterior, na presença de vários assessores, da esposa e do filho mais velho de Luizão, um dos diretores da Penitenciária do Estado:

— Se um dia eu cair refém, não vou deixar bandido nenhum

fazer nome às minhas custas. Tudo tem que ser resolvido aqui dentro, sem ninguém abrir os portões. A polícia pode entrar e abrir fogo, nem que eu vá para o inferno junto com eles.

Gringo concordou com a saída, mas exigiu que Chiquinho escolhesse alguém para morrer caso não retornasse em dez minutos.

Repetiu-se a cena anterior, só que dessa vez os personagens se encolhiam. Quando Chiquinho apontou o dedo na direção do protético do Serviço de Odontologia, o rapaz balbuciou:

— Eu?

Minutos depois o telefone tocou. Gringo atendeu e passou-o para o diretor:

— É o secretário.

Era Álvaro, um de seus assessores, que falava na presença do secretário:

— Doutor, é para não fazer acordo com eles?

— Lógico — respondeu Luizão. — Façam conforme nós já combinamos. Mandem logo o helicóptero.

Era a senha para que a PM invadisse e resolvesse à bala. Luizão diz que temeu pela sorte dos reféns, não pela dele, porque depois do pecado cometido dias antes não tinha direito à pretensão de escapar com vida. Naquele momento, intuiu que a única maneira de poupar os demais seria levar os bandidos para fora da sala de almoço.

Pediu para falar novamente com o secretário. Retirou o fone do gancho e enfiou com tanta força o dedo no botão que liga e desliga, que o telefone emudeceu:

— Já mandei arrumar tantas vezes essa merda.

Um dos presos reconheceu Mariz entre os presentes, diretor de Valorização Humana, filho de um desembargador. Decidiram que ele falaria com as autoridades pelo telefone da Carceragem, situada no interior do pavilhão. Luizão imediatamente argumentou que ninguém levaria a sério uma negociação da qual o diretor-geral não participasse.

Com a PM atirando sem parar, os dois saíram na direção do corredor que levava às salas da Carceragem, sob a vigilância constante do revólver que Gringo segurava com as duas mãos e de outro preso com dois facões afiados.

Na Carceragem deram de cara com mais de trinta funcionários que os amotinados tinham trancado numa das celas reservadas para os detentos aguardarem transporte para o Fórum. Em frente a ela havia outra com os cinquenta presos que trabalhavam no pavilhão, ali fechados por precaução tomada pelos que pretendiam fugir.

Mal entraram, um dos amotinados encostou o facão na orelha do diretor de Valorização Humana:

— Vamos cortar e mandar pro pai dele saber que não é brincadeira.

Luizão acrescentou de imediato:

— Cortem essa merda, que ninguém vai sair vivo daqui.

Outro preso sugeriu que lhe cortassem a mão, o pai daria mais valor à ameaça.

Luizão cochichou no ouvido do assessor:

— Você não acha que é preferível a orelha?

O ronco de um helicóptero que se aproximava mudou o rumo dos acontecimentos. Sem saber que se tratava do helicóptero de uma emissora de televisão que cobria os acontecimentos, os bandidos decidiram subir com os reféns para o teto do pavilhão. Luizão permaneceria no térreo para impedir que a PM entrasse e tivesse acesso à escada. Gringo com o revólver e outro ladrão com os facões frustrariam qualquer reação.

Certo de que o castigo definitivo viria naquela hora, Luizão decidiu que iria mesmo para o inferno, mas não sozinho. Rezou um padre-nosso estropiado e esperou. Gringo, a uma distância prudente na frente dele, sem desgrudar as mãos da arma; o outro, mais atrás, com os facões.

Um tiro mais próximo da porta que obrigou Gringo a desviar o olhar ofereceu a oportunidade aguardada. Luizão pulou em cima do inimigo trinta anos mais jovem, segurou o cano do revólver com a mão esquerda e com a outra apertou-lhe as mãos contra o cabo, na esperança de impedir que acionasse o gatilho. Veio o primeiro tiro, seguido do segundo e do terceiro, à queima-roupa. O diretor sentiu que tinha sido atingido e que ainda seria esfaqueado pelo comparsa, mas não havia alternativa senão resistir.

Amedrontado, o dos facões saiu correndo na direção da escada que o levaria ao teto.

Ensanguentado, sem conseguir desarmar o adversário, Luizão apelou para Mariz, paralisado em plena refrega:

— Pega essa cadeira de ferro e arrebenta a cabeça dele.

Mariz, homem de um metro e noventa, levantou a cadeira e desceu-a com bastante força, mas com pontaria deplorável: acertou em cheio a cabeça do chefe, que bambeou e ameaçou cair.

Percebendo que a pancada lhe minara as forças, Luizão empurrou Gringo para trás, como se tivesse a intenção de derrubá-lo. Quando notou a resistência que o corpo do outro fazia no sentido oposto, puxou-o para a frente de uma vez e lhe deu uma cabeçada com tanta violência, que o inimigo perdeu os sentidos.

A autópsia revelaria fratura de crânio com esmagamento do lobo frontal.

Luizão apanhou o revólver e correu na direção da escadaria, decidido a alcançar os companheiros levados para o teto. Saiu da Carceragem no exato momento em que o pelotão de Choque invadia, com meia dúzia de oficiais na linha de frente. Ensanguentado, de calça bege, com um revólver na mão, foi novamente confundido pelos pms, que dispararam as metralhadoras contra ele. Foram muitos tiros.

Sob a ameaça dos facões e dos revólveres, o grupo de reféns foi forçado a subir as escadas. Walter Hoffgen, o diretor de Segurança, ficou no fim da fila; atrás dele, o revólver de Marcão, o principal líder depois de Gringo, e as duas facas de Zinho, que trazia no currículo a façanha de, durante um assalto, haver jogado o dono de uma padaria no forno aceso.

Quando dr. Walter e os dois homens armados atravessaram a porta de acesso ao telhado, Marcão pegou um caibro do chão e improvisou uma trava, apoiando uma das extremidades na porta e a outra contra um degrau na frente dela.

A tranca ficou tão firme que resistia às investidas dos primeiros policiais militares a chegar. Os trancos que davam mal conseguiam abrir uma pequena fresta junto ao batente. Deitado no chão para não servir de alvo para os atiradores de elite na muralha, com o diretor de Segurança como escudo, Marcão atirou contra a porta e gritou:

— Se alguém entrar, eu mato ele.

Os reféns foram empurrados para a beirada do teto do pavilhão e obrigados a subir no parapeito, tão estreito que nele mal cabia o pé de um homem. Um dos presos que assistia à cena do pátio gritava para que fossem jogados lá de cima. Com a faca, Zinho furou o peito de um funcionário. Dr. Walter interveio sob a mira do revólver:

— Ô meu, qual a necessidade de fazer isso?

Marcão mandou parar com a agressão até que fosse dada a ordem contrária. Minutos mais tarde, os atiradores de elite postados na muralha acertariam a cabeça de Zinho.

Quando Manezinho, com os dois facões, se aproximou de dr. Walter, ele arrancou o maço de cigarros do bolso do macumbeiro e retirou dois cigarros. Acendeu um e colocou o outro na boca do refém a seu lado, o dr. Willo Rogério, que mais tarde dirigiu a

Detenção e hoje é diretor de um presídio em Guarulhos. O atrevimento surpreendeu Manezinho:

— O senhor é mais louco que nós.

Com a experiência de quem começou a vida abrindo e fechando os portões do pavilhão Oito, o diretor de Segurança sob a mira de Marcão teve certeza de que ia morrer. Ele também devoto de São Jorge, pediu apenas que o santo protegesse suas filhas, a mais velha com seis anos.

A tarde estava atribulada para o santo com o cavalo e o dragão: depois de salvar a vida de Luizão acuado pelos facões de Manezinho, foi convocado para realizar o segundo milagre.

— Pensei: vai pra puta que o pariu, se é pra morrer, São Jorge, que seja de uma vez.

Incontinente, pulou em cima de Marcão, desceu a mão com toda a força no punho que segurava o revólver e, no mesmo movimento, jogou o corpo contra o caibro, que saiu do lugar e destravou a porta.

Marcão foi o primeiro a morrer. Os demais rebelados que mantinham os reféns na beirada da marquise não tiveram tempo de atirá-los para baixo; morreram todos. Morreu também Walmir, um funcionário-refém erroneamente identificado como bandido pelos atiradores de elite. Outro funcionário levou um tiro na coxa.

Lá embaixo, no térreo, ao receber as rajadas de metralhadora dos PMs que invadiam o pavilhão, Luizão sentiu que o merecido castigo final havia chegado, mas continuou em pé, com o revólver para baixo, imobilizado pelo susto. Teria recebido mais tiros, não fosse reconhecido pelo coronel Carlos, comandante da tropa:

— É o diretor, seus imbecis.

O próprio coronel correu para examiná-lo. O sangue vinha apenas do corte do facão na cabeça; nenhum ferimento à bala: nem dos tiros de Gringo nem das rajadas que encheram a parede de buracos ao redor de seu corpo.

Luizão sentiu que só havia escapado da morte porque o Senhor decidira perdoá-lo do pecado cometido dias antes, no quarto de casa.

Naquela noite, chegou nervoso do trabalho e discutiu com a esposa, mulher paciente, delicada e apaixonada por ele. No meio do falatório, gritou um palavrão.

Ela o advertiu:

— Luiz, pelo menos respeita Aquele no quadro em cima da cama.

— Não respeito ninguém e nem porra nenhuma.

Sacou o revólver e deu dois tiros certeiros na testa de Jesus, que despencou da parede.

Amauri Bonilha

Embora já nos conhecêssemos de passagem, só nos tornamos amigos depois de uma vasectomia.

Amauri trabalhava no Cinco, pavilhão que abrigava os jurados de morte do Amarelo. Havia casado em segundas núpcias com dona Cecília, também funcionária da Casa de Detenção, com quem acabara de ter uma filha que, somada aos três do primeiro casamento, justificava a indicação da vasectomia que consegui sem custo para ele, num hospital particular.

Seu pai era um técnico em eletrônica que saiu de Piracicaba em 1946 para tentar a vida em São Paulo. Depois de sete anos de trabalho, casou com uma conterrânea e foram morar num sobrado na Vila Maria, em cujo térreo montaram uma pequena loja de móveis e eletrodomésticos.

O casal teve dois filhos e uma filha. Amauri era o caçula, Tadeu o do meio, e Edite a primogênita.

Diferentemente da maioria dos carcereiros, que entraram para o Sistema em busca da segurança oferecida pelo emprego público, Amauri iniciou a carreira de agente penitenciário aos 22 anos movido pela frustração de ter sido rejeitado no concurso para investigador da Polícia Civil. A reprovação não ocorreu por despreparo ou por limitações intelectuais, mas por causa de um processo que corria na Justiça.

Aos vinte anos, ele e Serginho, um amigo da Vila Maria, foram a uma festa no Ipiranga. Amauri gostou de uma menina e a convidou para dançar; na terceira música já estavam de rosto colado. Quando a festa terminou, sete ou oito rapazes da turma do Ipiranga, entre os quais um ex-namorado da moça, aguardavam os forasteiros na saída.

Não houve conversa, os dois apanharam até que Amauri puxou o revólver e atirou para o chão. Todos correram, menos um rapaz, que caiu atingido pela bala que ricocheteara na tampa de ferro de um bueiro.

O incidente deu origem a um processo que Amauri respondeu em liberdade. Depois de dez anos, quando os trâmites terminaram, o tiro foi considerado ato de legítima defesa.

Impossibilitado de seguir a carreira de policial por causa desse processo, prestou concurso para agente penitenciário, em 1978. Para completar o orçamento, à noite dirigia o táxi de uma frota.

Na Casa de Detenção, foi designado para o pavilhão Dois, na época chefiado por um funcionário conhecido como Leite Preto (para diferenciá-lo de Leite Branco, outro colega).

Adaptou-se rapidamente à rotina da cadeia. Gostou tanto do serviço que convenceu o irmão, Tadeu, a seguir o mesmo caminho. Os dois trabalharam juntos por muitos anos, no decorrer dos quais chefiaram praticamente todos os pavilhões do presídio.

Tive mais contato com Amauri no pavilhão Cinco, naquele tempo chefiado por seu Manoel, membro de nosso Conselho. Antes de subir para o atendimento no Amarelo, Paulo Preto e eu passávamos pela chefia para comunicar-lhes que estávamos chegando, tomávamos um café e conversávamos alguns minutos sobre as novidades do pavilhão.

Numa dessas ocasiões, insisti que parasse de fumar. Quando voltei na semana seguinte, ele disse que havia jogado o maço fora no mesmo dia e que nunca mais poria um cigarro na boca.

Dois meses mais tarde, eu o encontrei na Divineia com um pacote de cigarros na mão. Assim que me viu, justificou:

— Não voltei. O pacote é para saldar dívida de droga de um cara que vai morrer no pavilhão se não fizer o pagamento até as cinco da tarde.

Em seguida apontou para o pacote:

— É isso o que vale uma vida neste lugar.

Os colegas elogiavam-lhe a coragem e a disposição física para defendê-los nos momentos em que corriam perigo; os presos o consideravam íntegro e justo. Em anos de atendimento médico ouvindo confidências dos detentos do pavilhão, nunca soube que tivesse aceitado suborno.

Depois que a Detenção foi desativada, Amauri foi transferido para a cadeia de Franco da Rocha. Nessa mesma época seu filho mais velho perdeu o emprego. Para ajudá-lo a manter a família, Amauri vendeu o carro, o da esposa, levantou um empréstimo e montou um bar na Vila Maria. À noite, Cecília e ele auxiliavam o rapaz no serviço.

Pouco mais tarde, o filho foi recontratado pela empresa que o demitira e deixou o bar. Cecília e Amauri decidiram manter o estabelecimento pelo menos até liquidarem as dívidas.

Ela pegou gosto por aquele trabalho, ele não. A sensação de ficar preso no estabelecimento lhe era muito desagradável.

Repetidamente, o irmão o aconselhava a vender o bar:

— Falei mais de quinhentas vezes que era perigoso. Gente como nós não pode ficar exposta atrás de um balcão.

Fizemos diversas reuniões do Conselho no bar do Bonilha. Era um lugar despojado, com um balcão em L, três mesas e meia dúzia de cadeiras. Cecília e ele se encarregavam do serviço. Só no fim da reunião, quando o ambiente acalmava, é que ele sentava conosco.

No dia 11 de maio de 2006, conseguimos juntar ali mais de vinte funcionários da antiga Detenção; alguns vieram do interior especialmente para o encontro. Foi uma das confraternizações mais animadas da história do Conselho. Amauri disse que nunca tinha visto tirarem tantas fotos nem tinha vendido tanta cerveja num dia só.

Na noite de sábado, dia 13, o bar estava cheio de fregueses. Entre eles, Edite, irmã de Amauri, e Serginho, o amigo de infância presente na briga do Ipiranga. Cecília estava do lado de fora do balcão; Amauri, do lado de dentro.

À uma da madrugada chegaram três rapazes. Um deles parou na porta, enquanto os outros encostaram no balcão.

De repente, os do balcão puxaram as armas e mandaram todos deitar no chão. Quando Amaury percebeu que iam atirar em Cecília, avançou desarmado na direção dos dois. Os bandidos descarregaram as armas sobre eles.

A execução de Amauri e Cecília fazia parte do levante da facção responsável pelos incêndios de ônibus e pelas mortes, em maio de 2006.

A fisionomia de Amauri entre as flores do caixão era serena, havia até um esboço de sorriso em seu rosto. Como bem observou seu Araújo:

— É como se ele quisesse dizer: não acredito que isso aconteceu.

A festa

O corpo nu jazia no chão do banheiro, no térreo do pavilhão Quatro. Parecia pintado de vermelho, tal a quantidade de sangue espalhado pelo tronco e pelo rosto. A cabeça pendia desengonçada para a esquerda, o peito e o tórax tinham mais de trinta perfurações.

Quando fui examinar as costas, entendi por que a cabeça estava deslocada: um corte profundo vinha da região occipital para a frente e para baixo, na direção do esterno, dilacerava a musculatura cervical e expunha a base do crânio e a parede lateral da traqueia.

Era evidente que um golpe daqueles só poderia ter sido desfechado com o homem já inerte.

— Quanta perversidade — comentei com o funcionário que me acompanhava naquela verificação de óbito sumária que éramos obrigados a documentar, antes do encaminhamento do corpo para autópsia no Instituto Médico Legal.

— É a marca do Partido — respondeu ele. — Essa gente

ainda vai causar muita dor de cabeça. Depois de matar os inimigos, dão essa facada de misericórdia para que todos reconheçam a autoria.

Não lembro se estávamos em 1994 ou 1995 — nas cadeias, é fácil perder a contagem do tempo —, mas foi naquela segunda-feira que ouvi falar pela primeira vez da facção que assumiria o poder na maioria das prisões de São Paulo.

Depois de resumir numa ficha os ferimentos perfurocortantes encontrados no corpo, subi para continuar o atendimento na enfermaria. Entretido com os problemas dos doentes, a imagem do rapaz esfaqueado ficou em segundo plano.

Naquele dia, tinha prometido a minha mulher que chegaria mais cedo, a tempo de irmos sem correria ao jantar de aniversário de um amigo. O compromisso me deixou mal-humorado diante do número de pacientes que se enfileiravam à minha espera.

É preciso determinação psicológica para passar muitas horas examinando doentes. O que a pessoa enferma espera do médico não é apenas uma folha de receituário com os medicamentos prescritos, mas demonstrações inequívocas de que está diante de um profissional seguro, competente, compreensivo e solidário, empenhado em resolver seu caso e em ouvi-la sem nenhuma preocupação com o relógio, como se naquele momento não existisse ninguém mais importante no mundo.

Expectativas tão abrangentes são fáceis de frustrar: a menor distração, uma palavra mal-entendida, o ar de cansaço, a desqualificação de uma queixa irrelevante, qualquer manifestação de impaciência ou de pressa em encerrar a consulta são suficientes para destruir a confiança no profissional.

Levando em conta que na sociedade existem pessoas excessivamente prolixas, hipocondríacas, egocêntricas, manipuladoras, chantagistas, mentirosas, antipáticas, prepotentes e com outras características de personalidade que tumultuam os relacionamentos interpessoais, imaginar que seja possível dedicar a mesma atenção a todos e estabelecer indistintamente o mesmo grau de empatia é idealizar a natureza humana. Nem Jesus de volta à Terra seria capaz de tamanha generosidade aleatória.

Além de sofrer essas restrições impostas por idiossincrasias individuais, o trabalho exige determinação e energia para consolar e motivar pessoas fragilizadas, na tentativa de convencê-las a enfrentar a adversidade com persistência e otimismo.

Há tarefas que conseguimos executar com eficiência enquanto deprimidos, pessimistas, entediados, revoltados, impacientes e até com ódio da humanidade; as do médico, não. A doença tem o dom de trazer a sensibilidade para a flor da pele. Os doentes estão sempre a perscrutar o que nos vai no espírito, não descuidam de um gesto, não desviam seus olhos dos nossos, o menor deslize ou intenção oculta captada subjetivamente pode pôr a perder tudo o que porventura fizermos.

No meu caso existe outra limitação: ao contrário de colegas mais tolerantes, fico aflito com gente à minha espera, comportamento que se agravou com a idade. Nessa situação, por mais que me esforce, não consigo relaxar. Na clínica particular é mais fácil contornar esse inconveniente: basta organizar as consultas com hora marcada; mas, com a falta de médicos dispostos a trabalhar nas cadeias, a demanda é enorme, em minutos formam-se filas com dezenas de pessoas. Quando o médico chega, já há vinte pacientes; atendido o vigésimo, terão aparecido mais dezoito, que, ao ir embora, deixarão outros quinze em seus lugares. Em sete horas de trabalho no Amarelo, uma vez cheguei a consultar 62 presos.

Essa medicina de guerra tem seus encantos, que talvez sejam semelhantes aos das partidas simultâneas em que o enxadrista precisa analisar diversos tabuleiros ao mesmo tempo e decidir contra o relógio, sem perder a precisão ao movimentar as peças.

Exige a um só tempo formação teórica, experiência e agilidade no exercício da clínica para chegar ao diagnóstico em minutos, sem exames laboratoriais nem imagens, e escolher na cesta básica de medicamentos disponíveis aqueles com mais chance de resolver o problema. Nessa gincana, os acertos exaltam o ego profissional; os erros causam decepções e sentimento de culpa.

Para complicar, o cansaço mental provocado pelo atendimento interminável embota o raciocínio, esgota a disposição para ouvir o outro e aumenta a probabilidade de conclusões precipitadas.

Naquele começo de noite, dividido entre a fila e a festa, eu tinha uma justificativa a mais para me revoltar: "Só um idiota para ficar nesse inferno, fazendo a mulher esperar e deixando de encontrar os amigos, para atender esse bando de gente. Quantos deles me assaltariam na rua?". Apesar de estar convencido de que não cabe ao médico julgar crimes e contravenções, prerrogativa exclusiva dos juízes, impossível impedir que tal pensamento conturbasse minha relação com os pacientes naquelas circunstâncias.

Às tantas, perdi a calma:

— Chega. Já é abuso, não sou o único médico da Casa.

Torvão, um preso que me auxiliava na enfermaria, condenado a 22 anos por chefiar uma quadrilha especializada em assaltos a carros-fortes, dono de um físico miúdo, de uma onça em posição de ataque tatuada no antebraço e de uma inesperada voz tonitruante, vociferou:

— Alguém aqui está tão doente que não pode esperar até amanhã?

Da fila que não parava de crescer sobrou apenas um rapaz com tuberculose, doença endêmica que seguia no rastro da epidemia de aids.

Depois de atendê-lo, reclamei:

— Torvão, assim não dá, atendi mais de quarenta pessoas. Quantos mais viriam?

— Não lhe tiro a razão, mas o senhor é o próprio culpado de si mesmo. Tem mania de examinar todo mundo, até gente que não vale o ar que respira.

Em casa mal tive tempo para o banho, no decorrer do qual a imagem do rapaz assassinado retornou nítida. Quanta desumanidade e covardia. Que mundo mais filho da puta aquele; fica impregnado na gente.

Quando chegamos, o jantar estava para ser servido. Embalados pelo vinho, todos conversavam e riam. Fiquei tão calado que minha mulher perguntou se estava indisposto. Faltou coragem para dizer que me sentia desambientado, sem nenhum interesse no chef idealizador do melhor carpaccio da cidade nem disposição para discutir o campeonato paulista ou falar das pechinchas nas lojas de Nova York. Minha imaginação continuava no mundo do crime, no corpo jogado no banheiro, na fisionomia daqueles infelizes na fila da enfermaria e no nascimento de uma facção criminosa que se impunha pela degola, temas mais do que impróprios para ocasiões festivas.

O mau humor no final do atendimento e a pressa para chegar em casa deram lugar a uma sensação de alheamento, no aniversário. No entanto, estava entre pessoas amáveis, que ainda assim demonstravam prazer em desfrutar de minha insuportável companhia. Difícil fugir da culpa pela inadequação: na cadeia, louco para ir embora; na festa, aborrecido e inconformado com a superficialidade das relações sociais.

Essa ambiguidade me persegue desde que pus os pés num presídio pela primeira vez. São incontáveis as ocasiões em que as imagens do cárcere invadem o cenário onde me encontro, como se fizessem parte de uma realidade virtual que se intromete em paralelo nos momentos mais insólitos.

Uma paciente que sofria de dores só controladas com doses altas de morfina contou que subitamente surgiam diante dela figuras de pessoas do passado e paisagens da infância havia muito esquecidas, que relampejavam e desapareciam. Muitas vezes, tenho a mesma impressão sem ter tomado morfina.

Deitar entre lençóis limpos de uma cama confortável ao lado da mulher amada e lembrar de um xadrez lotado com gente dormindo no chão traz o conforto de experimentar um privilégio, mas ser importunado pelo ar de desespero de um homem mortalmente ferido que surge não sei de onde, enquanto conto histórias para meus netos, é perturbador.

Depois de 23 anos frequentando cadeias, não faz sentido especular como eu seria sem ter vivido essa experiência; o homem é o conjunto dos acontecimentos armazenados em sua memória e daqueles que relegou ao esquecimento. Apesar da ressalva, tenho certeza de que seria mais ingênuo e mais simplório. A maturidade talvez não me tivesse trazido com tanta clareza a percepção de que entre o bem e o mal existe uma zona cinzenta semelhante àquela que separa os bons dos maus, os generosos dos egocêntricos. Conheceria muito menos meu país e as grandezas e mesquinharias da sociedade em que vivo, teria aprendido menos medicina, perdido as demonstrações de solidariedade a que assisti, deixado de ver a que níveis pode chegar o sofrimento, a restrição de espaço, a dor física, a perversidade, a falta de caráter, a violência contra o mais fraco e o desprezo pela vida dos outros. Faria uma ideia muito mais rasa da complexidade da alma humana.

Compartilhar esse universo com aqueles que dele não fazem parte é inútil. Podemos contar casos e comentar certos acontecimentos, mas aconselhar-nos, expor dilemas, contradições, perplexidades e as angústias que nos afligem na convivência com os detentos só tem sentido quando o interlocutor conhece o meio em que vivem os criminosos e as leis que regem as prisões. Sem o domínio dos mesmos códigos, não há diálogo possível.

Estranho ter consciência de que uma parte de sua experiência, logo a de maior conteúdo dramático, precisa ser mantida em segredo para não contaminar as relações com pessoas íntimas avessas ao mundo da marginalidade. De alguma forma, sinto que me tornei mais solitário.

Imagino que os carcereiros se ressintam da mesma inadequação social, com a agravante de que vivem muito mais tempo cercados pelas muralhas, correndo risco de morte, dia após dia, um ano depois do outro, ao contrário do médico, que dedica um único período por semana a um trabalho voluntário bem mais seguro, porque os presos o consideram essencial à sobrevivência do grupo. Com a intenção de poupar amigos e familiares do contato com a brutalidade do cotidiano no cárcere e para evitar mal-entendidos e incompreensões geradas pela natureza do trabalho que realizam, eles também guardam para si as experiências traumáticas que viveram.

Apesar de assimétrica, essa é a realidade que nos aproxima. Nascemos em bairros de operários, mas graças à obstinação de meu pai cheguei à universidade; eles não tiveram a mesma sorte. Frequento ambientes e me relaciono com pessoas inacessíveis a eles, vivo com mais liberdade financeira, viajo por lugares com os quais sequer podem sonhar, mas na mesa de um bar essas diferenças perdem significado diante da solidariedade, da compreensão mútua, da disposição para amparar o companheiro em dificuldade e da aceitação sem julgamento dos defeitos e dos erros cometidos por todos nós.

Oito anos atrás fui hospitalizado com febre amarela, doença com alta letalidade. Todos se mobilizaram para me ajudar na fase mais dura, Araújo fez promessa para acender vela na igreja de São Judas Tadeu assim que eu recebesse alta. Valdemar, naquela época exagerado na bebida, prometeu permanecer em abstinência pelo tempo que os médicos me recomendassem ficar longe dela. Passou um ano sem provar uma gota de cachaça nem reclamar da sorte:

— Cheguei até a esquecer do gosto.

Em nossos primeiros encontros depois do trabalho na Detenção, era visível a preocupação para evitar determinados comentários em minha presença, sobretudo os que envolviam violência contra os presos e dinheiro recebido indevidamente. As conversas se limitavam aos problemas pessoais, às aventuras amorosas e aos relatos das histórias dos personagens com quem conviviam.

A implosão do Carandiru foi um marco na vida de todos nós, mas especialmente na deles. O mundo onde viviam desabou no instante em que as paredes vieram abaixo. A violência, a corrupção miúda em troca de pequenos favorecimentos, as mortes que presenciaram sem poder impedir, as atitudes covardes, o valor da palavra, os atos de heroísmo em defesa dos companheiros e dos sentenciados, o bem e o mal de mãos dadas, soterrados nos escombros do Casarão, ressuscitam como fantasmas em nossos encontros.

Esses homens foram contratados numa época em que bater nos presos malcomportados era política institucional consentida pela sociedade, não receberam treinamento nem tinham preparo para tomar conta daqueles que queremos ver atrás das grades, sem nos importarmos com a precariedade dos espaços nos quais serão encarcerados. Atirados num ambiente dominado pelos piores instintos humanos, em contato direto com a violência, com salários insuficientes para sustentar a família, em condições de trabalho quase medievais e a vida em risco permanente, cada um procurou agir da forma que lhe pareceu mais sensata.

1ª EDIÇÃO [2012] 1 reimpressão

ESTA OBRA FOI COMPOSTA POR ACOMTE EM MINION
E IMPRESSA PELA GEOGRÁFICA EM OFSETE SOBRE PAPEL
PÓLEN SOFT DA SUZANO PAPEL E CELULOSE PARA A
EDITORA SCHWARCZ EM NOVEMBRO DE 2012

A marca FSC® é a garantia de que a madeira utilizada na fabricação do papel deste livro provém de florestas que foram gerenciadas de maneira ambientalmente correta, socialmente justa e economicamente viável, além de outras fontes de origem controlada.